CW00543764

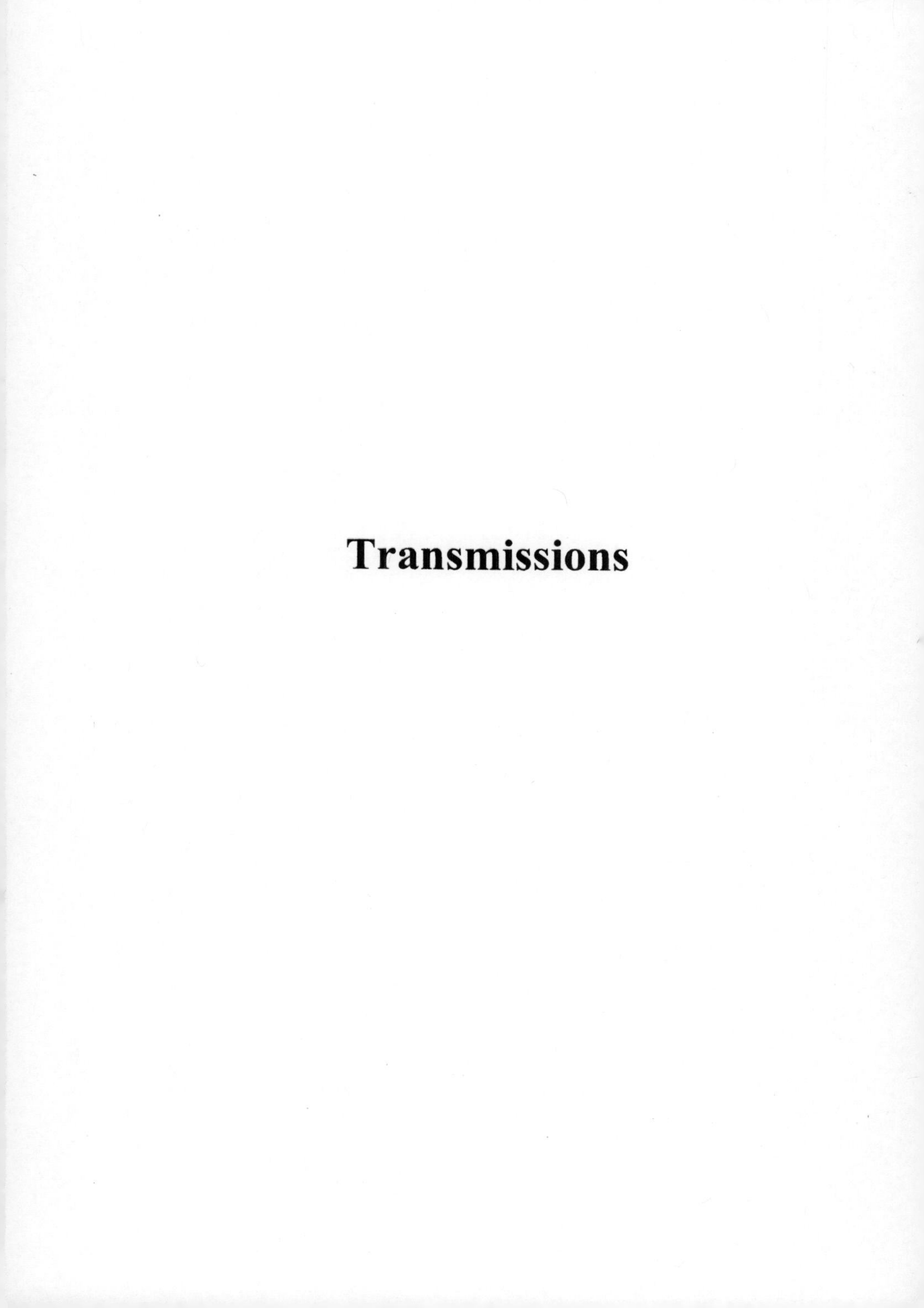

Transmissions

Jean-Pierre Spano

Transmissions

Nouvelles

ISBN : 979-10-377-3694-9

Dans ce livre, j'ai tenu à vous parler de ma vie, de ma pensée philosophique, de mes poèmes, de mes contes imaginaires, de ma passion musicale et, en dessert, de quelques acrostiches de ma création, spécialement pour vous.

Tout ça, dans un seul livre.

J'espère que vous passerez un bon moment de lecture.

C'est parti ; un, deux, trois, lisez !

L'auteur

Ma vie

Itinéraire d'un homme qui voulait se prouver à lui-même qu'il était meilleur que ce que pas mal de personnes pensaient de lui.

C'est-à-dire un homme simple, courageux, en essayant de montrer, aux yeux du monde entier, qu'être handicapé n'était pas forcément un obstacle et que cela pouvait aussi être un atout et faire voir aux personnes qui n'étaient pas handicapées que tout était possible avec de l'envie, de la volonté et se dire que le pire obstacle, c'est d'abord nous-mêmes et ensuite l'environnement qui nous entoure.

Il faut d'abord se demander ce que nous sommes réellement, que voudrait-on devenir et comment faire pour y arriver, avec quels moyens et se dire tout le temps : « je vais y arriver ».

Je suis né le 19 août 1963 à l'hôpital de l'Hôtel Dieu à Lyon 2, ma mère m'a accouché dans des conditions déplorables.

C'était en quelque sorte une vraie boucherie.

Une infirmière apparemment pressée de me voir sortir, car en ayant marre de voir ma pauvre mère gémir et se plaindre de douleur, m'a extirpé sauvagement en me déboîtant les deux épaules, ce qui n'arrangeait rien par rapport à mon handicape de mal formation dû, je crois, à une anesthésie que ma maman avait subie avant de se faire opérer d'une hernie, sans savoir qu'elle était enceinte de moi.

Je précise, je suis né par le siège, c'est-à-dire que je suis sorti par les pieds.

J'ai dû être réanimé deux fois et mis en couveuse, afin de reprendre mes esprits.

On m'a plâtré tout le haut du corps pour essayer de me remettre en place les deux épaules, ce qui n'a pas été très facile pour moi, car je faisais pas mal de bronchites à cause du plâtre.

Mes pauvres parents, désemparés de me voir comme ça, ne savaient pas vraiment comment faire pour se sortir d'une telle situation.

Alors, quelques personnes, voyant leur situation, n'ont pas hésité à venir leur prêter main-forte en leur conseillant de me faire aller à l'hôpital de Gien, un hôpital qui se trouvait sur la presqu'île de Gien, où il y avait des malades qui souffraient de mal formation et qui étaient là-bas pour essayer d'en sortir mieux qu'à leur entrée.

Je me souviens que mon père me disait : « quand j'ai vu dans quels états étaient certaines personnes, dans cet hôpital, je me suis senti soulagé, car à côté d'eux tu n'avais pas grand-chose, mon fils. »

À vrai dire, je n'ai pas trop souvenance de mon séjour à l'hôpital, car tout ce que je sais, je l'ai appris de mon père.

J'ai dû subir pas mal d'opérations des deux mains et des deux pieds et rester pas mal de temps plâtré.

Mes parents ne pouvaient pas venir souvent me voir, mais dès qu'ils pouvaient, ils venaient me voir, car c'était difficile pour eux de se déplacer, car mon père n'avait pas son permis de conduire et je me trouvais à plus de 500 kilomètres de Lyon et ce n'était pas évident pour eux. Alors, de temps en temps, ils arrivaient à se faire accompagner et là, on pouvait se voir enfin.

J'ai dû commencer à marcher, à environ 4 ou 5 ans, en apprenant à me déplacer avec un déambulateur et en voyant ma petite sœur, Marie-Carmel, qui commençait juste à marcher. Pris de jalousie, j'ai jeté mon déambulateur et inconsciemment, grâce à elle, j'ai commencé à marcher à mon tour, tout seul moi aussi.

L'hôpital de Gien, j'y suis resté trois ans, de l'âge de 2 ans à l'âge de 5 ans. Avant, j'étais pris en charge à l'hôpital de l'Hôtel-Dieu, là où je suis né. Donc, une enfance loin de tout et une vie pas très drôle en somme.

De cette période tout au long de ma vie en grandissant, j'en ai énormément souffert, car je n'avais pas vraiment les bases d'un enfant ayant grandi normalement.

Au début de ma scolarité en Cours Préparatoires, j'ai eu beaucoup de mal à m'adapter au monde extérieur.

C'était nouveau pour moi, j'avais du mal à dialoguer avec les autres et je me renfermais sur moi-même, car je ne sais pas pourquoi, à quelques moments, je ressentais des angoisses et peurs et j'étais incapable de me les expliquer.

Ces angoisses qui me prenaient et me paralysaient tout le corps.

Puis, petit à petit, j'ai commencé à me faire quelques copains, avec qui je commençais à apprendre à savoir vivre en groupe et essayer en somme d'être un peu plus sociable.

J'ai effectué toute ma période d'école primaire à l'école Sainte-Thérèse de La Plaine.

Je l'avoue que je n'étais pas trop assidu en classe et que je passais beaucoup de temps à rêvasser et les professeurs me le faisaient souvent remarquer.

Je passais aussi mon temps à griffonner des poèmes sur le coin d'un papier et un jour je me suis fait prendre en flagrant délit, par mon professeur de CM2 et il me confisqua le cahier où j'avais écrit quelques poèmes et les avait gardés précieusement pour lui en souvenir de moi. Et quand, plus de vingt ans après, je le croisais par hasard, il m'en avait reparlé et on était parti à rire tous les deux de ces souvenirs mémorables.

Le vrai gros problème que j'ai dû subir aussi, c'est le regard des autres et le fait que certains gamins de mon âge étaient sans cesse en train de se moquer de moi et tout au long de mon existence, je l'ai traîné comme un boulet, car jusqu'à l'âge de 35 ans, on va dire, j'étais très complexé par mon physique et cela m'a porté pas mal préjudice auprès des jeunes filles qui ne comprenaient pas pourquoi je les fuyais.

Ce n'était pas parce que je ne les aimais pas, mais c'était que je me sentais mal à l'aise en pensant que j'avais un physique différent des autres et j'avais honte, en somme, de ce que j'étais.

Plus je grandissais et plus, je ne sais pas pourquoi, ressurgissaient en moi ces angoisses de peur que je n'arrivais pas à contrôler. J'étais obligé de me cacher pour pleurer un bon coup avant de retrouver mes esprits.

Arrivé à l'âge de mes 12 ans, je rentrais au collège et pour la première année, je me trouvais dans une classe mixte, car à l'école primaire, où j'étais, il n'y avait que des garçons.

J'ai pu faire connaissance avec des filles et je ne sais pas pourquoi, cette année-là, je me suis senti bien, car je parlais plus aux filles, qu'aux garçons.

Cela rendait même jaloux quelques copains à moi qui ne comprenaient pas pourquoi les filles venaient plus vers moi que vers eux, mais ça restait, dans l'ensemble, bon enfant et je leur disais qu'il fallait être gentil avec les filles et surtout les faire rire, car elles aimaient bien ça.

J'ai passé ma 6ᵉ et ma 5ᵉ au Collège des Battières et je me suis retrouvé au Collège Charcot où j'ai effectué ma 4ᵉ.

Cette année au Collège Charcot, à vrai dire, ça a été une de mes plus belles années de ma vie.

Car en fait, c'est l'année où je suis sorti pour la première fois avec une fille.

J'étais tellement timide et cette fille me plaisait tellement, qu'elle a dû le sentir et moi de mon côté je n'osais pas lui dire que je l'aimais et que je ne sais, par quelle magie, elle me demanda « tu m'aimes ? » et je lui répondis « oui, je t'aime » et de là tout est parti et c'est même elle qui a pris l'initiative de m'embrasser en premier.

J'avoue que pour la première fois j'étais toute chose et que j'étais un peu maladroit au départ, mais après, ça allait mieux.

L'année d'après, je rentrais en LEP (Lycée d'Enseignement Professionnel) Jacquard à Oullins pour essayer de passer un C.A.P. de vente en habillement et accessoires.

Ce fût aussi une de mes plus belles années, mais la seule erreur que j'ai pu faire, cette année-là, c'est que je ne pensais qu'à draguer les nanas, à rigoler et faire le pitre, au lieu d'étudier et du coup, je me suis fait virer en fin d'année.

Du coup, je me suis trouvé, par obligation, à entrer dans la vie active : je venais d'avoir 16 ans.

Vu que l'école était obligatoire jusqu'à 16ans, on m'a dit gentiment « Monsieur Spano, vu que vous avez passé votre temps à ne rien faire de votre première année, ici, nous vous renvoyons à la vie active. »

Mon pauvre père était désemparé en me disant : « qu'est-ce que je vais pouvoir faire de toi, maintenant, tu peux me le dire ? »

Mon père avait pris rendez-vous avec une assistante sociale pour voir s'il y avait une solution pour moi, afin que je ne reste pas ici, à rien faire.

L'assistante sociale nous a conseillé d'aller à la COTOREP (un organisme qui s'occupe du reclassement des personnes handicapées).

Nous y sommes allés et mon père a dû remplir un dossier pour une demande de stage dans un centre pour personnes handicapées.

Je l'avoue que ça ne m'enchantait pas trop d'y aller, mais je n'avais pas trop le choix et il fallait bien que je fasse quelque chose à tout prix.

Six mois après, mon père recevait une lettre de l'ADAPT de Peyrieu, disant qu'une place était disponible pour un Stage de pré orientation, pour voir où l'on pouvait me reclasser.

Je commençais donc ma période de pré orientation dans ce centre où j'étais en internat et où je passais la semaine en ne rentrant que le Week-end chez mes parents.

Je peux vous dire que ça a été une de mes périodes les plus dures de mon adolescence.

Je commençais à regretter d'avoir fait le pitre quand j'étais au LEP Jacquard, car j'avais perdu de vue tous mes copains et copines, j'étais loin de chez moi, j'étais mineur et me retrouver au milieu de toutes ces personnes qui étaient en majorité adultes, dont certains beaucoup plus âgés que moi, me gênait un peu, car je n'avais pas trop d'affinités avec eux et que j'étais un peu mis à l'écart, vu mon très jeune âge (16 ans).

Eux en avaient entre 19 et 50 ans.

J'ai quand même essayé de prendre sur moi-même en me disant que ce n'est qu'un mauvais moment à passer et que ça pourrait me permettre de m'orienter vers un métier qui me plairait et après je pourrais peut-être mieux rebondir.

Après cette période de pré orientation, je passais devant un conseiller d'orientation qui pensait à ma place et je ne supportais pas du tout ça. Pendant ces six mois, ça s'est passé à peu près bien.

Je lui ai même dit « écoutez Monsieur, mon handicap, je le connais mieux que vous, je sais de quoi je suis capable, je sais ce que je peux faire et ne pas faire et vous me proposez que des choses qui ne me plaisent pas du tout ce qui me plairait, c'est de pouvoir faire la formation de monteur câbleur en électronique professionnelle ».

Le conseiller d'orientation, ayant bien écouté ce que je lui avais dit, prit un instant de réflexion et me dit « je vois que vous êtes bien déterminé et motivé à vouloir faire cette formation, nous allons d'abord vous faire faire une préparation de 6 mois pour voir si vous êtes réellement apte à suivre cette formation. »

Je pouvais finalement commencer ma préparation pour attaquer par la suite ma formation de monteur câbleur en électronique professionnelle.

Je ne vous cache pas que c'est là qu'a commencé une de mes périodes les plus sombres de ma jeunesse.

Je pensais à mon frère, à mes sœurs, ma mère, mon père, ainsi que ma grand-mère qui vivait avec nous au 32 rue Chazay à Lyon 5e.

Et moi, là, seul, je me sentais désemparé et j'avais beaucoup de mal à accepter d'être loin d'eux.

J'avais beaucoup de mal à m'adapter à cette vie d'internat, car je me trouvais au milieu de personnes qui ne partageaient pas forcément les mêmes envies que moi, vu la différence d'âge qui les séparait par rapport à moi.

J'ai quand même pu me faire quelques amis qui heureusement avaient à peu près le même âge que moi, à un ou deux ans près.

Pour la suite des évènements, cela n'allait pas en s'améliorant du tout, car j'avais un caractère assez têtu et je ne supportais vraiment pas la sévérité exagérée de certains professeurs, qui pour un rien nous sanctionnaient trop sévèrement.

J'étais souvent puni, donc la sanction, était de rester le Week-end là-bas, sans pouvoir rentrer chez nous.

Vu que j'étais mineur, je n'avais même pas le droit de sortir.

Mais merde, j'allais sur mes 17 ans et je ne me sentais pas vraiment être un gamin, à cet âge-là !

Je suis quand même sorti en cachette avec des copains, qui eux étaient majeurs et là j'ai pris ma première cuite.

Je ne vous en parle même pas, ça a fait le tour du village et c'est remonté jusqu'aux oreilles du Directeur du centre qui a tout de suite téléphoné à mes parents en leur disant « oui, votre fils est devenu fou, il se jette sur les voitures qui passent sur la route ». Alors que la vraie version des faits, c'est que je suis rentré à 5 h du matin en faisant du bruit, j'ai traversé la rue en titubant, sachant qu'il y avait pas mal de passages de voitures et que j'essayais de pouvoir traverser sans me faire renverser.

C'est dingue comme un fait réel, peut se transformer en une vraie fiction.

Ma pauvre mère en entendant çà, la pauvre était morte de trouilles et après, je m'en suis quand même voulu de m'être mis minable comme çà.

J'avais même honte de moi et surtout regretté d'avoir fait flipper ma mère pour rien.

En fait, j'ai tout fait pour me faire virer de là-bas et j'y suis finalement arrivé.

Heureusement que c'était la fin de la préformation.

Après, de ma propre initiative, j'ai refait une autre demande auprès de la COTOREP pour me retrouver un autre centre de formation, car je voulais quand même poursuivre ma formation de monteur câbleur en électronique professionnelle.

J'ai quand même dû attendre un an, avant de recevoir une réponse positive de leur part.

Pendant ce temps-là, j'ai pu avoir la chance de revoir des copains et des copines que j'avais perdus de vue et pouvoir un peu profiter de ma liberté, mais j'essayais de faire en sorte de ne pas trop dépasser les limites, car financièrement mon père ne roulait pas trop sur l'Or et un jour il m'a dit « mon fils, pour manger pas de soucis, tu auras toujours un couvert à table, mais pour le reste, c'est à toi de faire le nécessaire.

Si tu veux t'amuser et t'acheter tout ce dont tu as envie, gagne ton argent par toi-même. »

Cela a été pour moi, une belle leçon de vie, car m'a appris par moi-même et beaucoup par mon père, que si l'on veut quelque chose dans la vie, il faut d'abord le mériter.

Quelque temps après, je recevais enfin une lettre qui me signifiait qu'une place était disponible au centre de l'ADAPT de Pontigny (89) qui se trouvait dans le département de l'Yonne à 20 kilomètres d'Auxerre.

Ce n'était quand même pas à côté de chez moi, car ça se trouvait à environ 350 kilomètres de Lyon.

Donc j'avais décidé de rester là-bas et de ne rentrer que pendant les périodes les plus propices à pouvoir venir.

La première année, à vrai dire, s'est superbement bien passée, car dans ma tête, j'avais grandi et j'étais plus préparé à affronter la vie, car j'avais au fond de moi-même un peu plus mûri et donc j'avais moins d'appréhensions d'être loin de ma famille.

J'ai pu faire connaissance avec pas mal de copains du centre, qui certains étaient en préformation, d'autres avaient choisi leurs formations et moi la mienne.

Nous avions pu passer tous ensemble, une super belle première année de formation. Le Week-end, on sortait ensemble, tantôt chez l'un, tantôt chez l'autre et même quelquefois on sortait même en boîte de nuit pour aller danser et faire les fous et bien sûr, draguer les minettes.

Tout ça dans une ambiance solidaire.

On partait à dix, on rentrait à dix et pas question de laisser quelqu'un sur le pavé.

Et comme ça j'ai pu faire une bonne première année de formation en montage câblage électronique professionnelle où j'arrivais bien à assimiler tous les cours.

C'était génial, j'étais enfin dans mon élément.

Cependant cette deuxième année c'est beaucoup moins bien passé que la première.

Car la majorité de mes copains ne sont pas revenus et sont tous repartis pour diverses raisons.

Je me suis retrouvé pratiquement seul.

Pour cette deuxième année, j'avais demandé d'avoir une chambre seule, afin de pouvoir étudier plus tranquillement.

Mais cette année-là, j'ai été confronté à pas mal de racailles qui venaient, pour beaucoup, de la région parisienne et qui étaient venues au centre en touristes et qui passaient leur temps à racketter tout le monde.

Il y régnait une atmosphère mal saine.

Mais je faisais en sorte de bien choisir mes copains avec qui je pouvais avoir un peu confiance, mais je l'avoue, ce n'était pas si évident que çà.

Même les moniteurs avaient la trouille de certains stagiaires et faisaient mine de ne rien voir, afin de ne pas subir leurs représailles.

Beaucoup de trafics se faisaient et il fallait constamment être vigilant à ne pas trop se faire avoir.

Mais je dois quand même vous l'avouer, je me suis quand même bien fait avoir.

Certains poussaient même le vice à nous impliquer sur des affaires dont on n'avait même pas connaissance, afin de se faire disculper par la police et après ils étaient relâchés, blanc comme neige et comme çà ils pouvaient recommencer à sévir ailleurs.

Beaucoup d'entre eux étaient des trafiquants de drogue, toxicomanes et des repris de justice.

Des handicapés sociaux comme ils les appelaient à l'époque.

C'était une vraie aubaine pour eux.

Deux ans payés aux frais des contribuables et je ne compte pas les a cotés.

Je trouve ça dommage, car qui c'est qui en pâtit dans tout ça ? Ce sont les gens honnêtes qui se voient refuser l'accès à ce genre de centre par manque de places.

Mais grâce à Dieu, j'ai pu me sortir de tout ce marasme et j'ai pu avoir mon diplôme de Monteur-Câbleur en Électronique Professionnelle.

Et même qu'à la fin de ma formation je m'étais pris la tête avec un éducateur peu scrupuleux et aigri de ses déboires avec pas mal de mauvais sujets, qui en est venu à me dire « de toute façon, tu finiras ta vie dans un C.A.T. (Centre Atelier Protégé), comme toute cette racaille qui traîne. »

Pris de haine envers cet éducateur je me mis à l'insulter, « fils de pute, ta mère, la salope qui t'a mis au monde ».

On en était pratiquement venu aux mains, mais heureusement qu'il y avait du monde ce jour-là pour nous séparer, sinon je ne sais vraiment pas, comment cette histoire aurait fini.

À la fin de ma formation, j'ai pu retourner chez mes parents.

Je me suis mis à chercher du travail, mais je l'avoue, ça n'a pas été très facile à trouver au début, car avec mon handicap, ce n'était pas évident pour moi de pouvoir me faire recruter.

Aux yeux des employeurs, j'avais l'impression à chaque fois qu'ils me voyaient, ils étaient assez réticents à vouloir me prendre avec eux.

En plus de ça, je n'avais aucune expérience, ce qui compliquait encore plus la tâche.

Au fond de moi-même, j'étais pris d'une haine.

Je me disais « putain de merde, pourquoi je suis né comme çà ? ».

Et un jour en croisant un jeune de mon âge qui faisait la manche, je lui ai poussé un coup de gueule en lui disant « putain, donne-moi tes bras, je te donne les miens ».

« Pour en faire ce que tu fais, çà suffis bien ».

Si j'avais écouté ces bonnes âmes pensantes, à cette heure-ci je serais en train de travailler en atelier protégé, payé à coups de lance-pierre et exploité aux maximums.

Heureusement grâce à Dieu, en 1985 j'ai pu commencer à mettre le pied à l'étrier en commençant par un contrat d'insertion jeune, qu'ils appelaient à l'époque T.U.C. (Travaux d'Utilité Collective).

Cela se passait à la mairie de Villeurbanne, je faisais 4 h par jour en étant technicien magasinier au service signalisation, aux ateliers municipaux pendant plus d'un an en finissant par travailler pendant un mois au nouveau musée de Villeurbanne ou je commençais le jour même de son inauguration en présence de Monsieur Charles Hernu, Maire de Villeurbanne et ministre de la Défense, sous la présidence de Monsieur François Mitterrand à l'époque. Ce musée s'appelait « Le nouveau Musée » et c'est là même que je fis connaissance de Corinne

GIRBES, qui quelques années après, allait devenir ma première femme.

À partir de 1987, j'avais vu une annonce réservée pour travailleur handicapé à l'ANPE, où ils cherchaient un technicien électronicien.

J'ai donc postulé le poste et quelque temps après, je recevais une convocation pour un entretien d'embauche.

Je me suis donc présenté au C.R.M.T. (Centre de Recherche en Machines Thermiques) à Dardilly.

Quand je me suis présenté lors de l'entretien franchement, je pensais dans ma tête, qu'ils n'allaient jamais retenir ma candidature.

À ma plus grande surprise, quinze jours après je reçois la réponse du C.R.M.T., et en ouvrant la lettre, je lisais que j'étais convoqué pour un deuxième entretien et là je signais avec eux un C.D.D. (Contrat à Durée Déterminé) de 6 mois en tant que technicien électronicien.

J'étais super content de pouvoir commencer à un nouveau poste.

Quelques jours après, je sentais que le chef du service électronique n'était pas très heureux de me voir dans son service car lui voulait en fait plus un technicien supérieur, plutôt qu'un technicien tout court.

Pendant ce temps-là, je fis donc du montage câblage et à la fin de ces 6 mois le chef du service électronique me fit comprendre qu'il ne voulait plus me garder avec lui dans son service.

Le C.R.M.T. me garda quand même, mais en tant que technicien polyvalent et me fit un CDI (Contrat à Durée Indéterminé).

Je faisais cette fois-ci essentiellement quelques petits travaux en atelier où j'assistais les techniciens supérieurs et les ingénieurs pour l'élaboration de petits montages qui servaient pour des maquettes d'essais moteurs pour divers constructeurs automobiles, car le C.R.M.T. était un centre de recherche qui travaillait essentiellement sur de nouvelles recherches de produits.

En parallèle, je faisais aussi pas mal de travaux administratifs, comme classer les bons de commande, m'occuper des commandes dont avaient besoin les techniciens et ingénieurs et aussi distribuer chaque semaine les feuilles de gestion qui servaient à marquer le temps passé sur chaque contrat afin de pouvoir facturer au plus juste les travaux effectués pour nos prestataires, quelquefois de l'enregistrement courrier, envois courrier, affranchissement courrier et très rarement du standard téléphonique.

J'étais devenu technicien polyvalent.

Pour revenir au 3 juin 1989, c'est là période où l'on avait décidé avec Corinne de se marier, en pensant que j'allais pouvoir enfin construire de super belles choses avec elle, avoir des enfants et être un homme comblé. Mais fort malheureusement, le sort en avait décidé autrement.

Car je pensais avoir réussi à fonder quelque chose et qu'en fait tout s'écroulait comme un château de cartes.

De cette union, nous avions eu une petite fille qui malheureusement était née prématurée en restant vivante que quelques jours.

J'ai mis pas mal de temps à m'en remettre, car je culpabilisais à mort, car quand on s'entend dire de la propre bouche de sa femme « oui, c'est ta faute si Laura est morte ! ».

Je peux vous dire que là, c'était comme si j'avais reçu un coup de couteau dans le cœur.

J'étais effondré.

Nous avons fini par divorcer, car plus rien n'allait entre nous et pour vous dire la vérité, ma belle-famille n'était finalement pas mécontente que nous nous séparions.

Surtout ma belle-mère.

Pendant de longues années, je suis resté dans une souffrance que je ne souhaiterais jamais à une autre personne de vivre.

J'ai même pensé plusieurs fois à mettre fin à mes jours, mais au fond de moi-même, je me disais que je ne pouvais pas faire ça, de peur à laisser toute ma famille dans la douleur.

Après mon divorce, j'avais pris un autre appartement.

Cela me faisait drôle de me retrouver seul après toutes ces années vécues en couple.

Pendant les autres années, je fis connaissance de pas mal de nouvelles personnes.

C'était là période où je cherchais à essayer de me reconstruire, tant bien que mal.

C'était l'époque où je faisais pas mal la bringue, afin d'oublier peut-être mes douleurs et mes soucis.

Je partais dans une spirale négative, en dépensant tout mon argent sans compter, vu ma grande générosité.

Pas mal de personnes à cause de ça en ont profité.

Et quand je me suis retrouvé vraiment dans la mouise à cause d'un soir qui m'a coûté mon permis.

En rentrant chez moi un soir je décidais quand même de rentrer bourré, sans assurance et en prenant en plus un sens interdit pour arriver plus vite.

Résultat des courses, je percute une voiture qui venait sur ma droite et comme fait exprès, c'était une voiture neuve. J'en étais rendu à me faire embarquer par la Police et passer 48 heures en dégrisement avec pas mal d'emmerdes à la clef.

Avec tout ça, je perdais mon permis, j'allais passer en jugement pour conduite en état d'ivresse, sans assurance, en prenant un sens interdit et en percutant une voiture de plein fouet qui venait de ma droite.

Résultats de toutes ces bêtises :

– 18 mois de sursis ;

– Une voiture neuve à rembourser ;

– Et plus de 55 000 Francs à rembourser pour tout ça ;

– La Voiture neuve à rembourser, de celui que j'avais percuté ;

– Défaut d'assurance ;

– Conduite en état d'ivresse ;

– Et le sens interdit.

Quand je me suis retrouvé dans la mouise, la plus totale, j'ai dû laisser mon appartement car je venais d'apprendre que j'avais une retenue sur salaire tous les mois et correspondant à pratiquement un loyer que je payais à l'époque.

Et ça pendant au moins 5 ans.

Une chose que j'ai apprise à mes dépens.

En fait, je me suis rendu compte, que je croyais avoir pleins d'amis, mais je suis vite rendu compte que je m'étais lourdement trompé à leur sujet.

La majorité avait disparu.

Cela confirme bien qu'en fait, les vrais amis maintenant, on les compte sur les doigts d'une seule main.

Je me sentais seul au monde et j'avais l'impression que le monde entier m'avait oublié.

Je vous l'avoue, je n'étais pas très fier de moi non plus.

Petit à petit, j'ai pu me refaire, mais je ne vous cache pas qu'il m'a fallu un sacré moment pour y arriver.

Peu de temps après être retourné chez mon père et ma mère, mon papa décédait et ce fut pour moi très dur.

Car il est parti bien trop vite et je n'ai pas vraiment eu le temps pouvoir lui dire tout ce que j'aurais voulu encore lui dire.

Mon papounet, je l'ai rêvé pas mal de temps et c'est bizarre, car dans mes rêves en fait, il avait quitté ma mère pour aller rejoindre la sienne au ciel.

Depuis la mort de mon père, c'est là que j'ai vraiment commencé à devenir de plus en plus responsable et devenir pour de vrai, un adulte.

Oui, c'est bête à dire, mais quand mon père était là, je me sentais mieux protégé et j'étais resté son enfant, car j'ai eu beaucoup de mal à vouloir entrer dans le monde des adultes.

Car ce monde me faisait peur, car je voyais trop d'injustices qui pourrissaient la vie de pas mal de personnes.

Depuis la mort de mon père, j'ai pris conscience que la peur ne résolvait rien de bien et que j'allais montrer au monde entier que je n'avais plus peur.

Le 25 décembre 2012, je perdais aussi ma maman.

Je ne vous cacherais pas non plus que cela a été encore plus dur que pour mon papa.

Car ma mamita représentait tout pour moi :

– La protection

– Le courage

– La force

– La détermination

– L'amour

Je vais vous raconter une anecdote qui m'est arrivée lorsque j'étais de sortie en bringue pour aller rejoindre des copains :

C'était un fameux vendredi soir et je me rendais comme à mon habitude au « Chalet » (un Bar que tenait un super bon copain à moi, que j'avais à l'époque et qui maintenant nous a quittés pour rejoindre le Ciel et ses étoiles).

Une fois arrivé sur les lieux je fis le tour afin de saluer tout ceux ce que je connais là-bas.

La soirée promettait de battre son plein, car ce soir-là, il y avait pas mal de monde et que ça allait durer un bon moment.

On faisait souvent des parties de fléchettes entre nous et le but du jeu, était que le perdant chaque fois, devait payer sa tournée.

On peut dire que c'était une superbe soirée pour moi, car je n'avais pas perdu une seule partie ce soir-là et j'ai bu comme un trou (je commençais à être pompette) et que cette soirée se passait par trop mal pour l'instant.

Les parties de fléchettes finies, la musique battait son plein et on dansait comme des fous, jusqu'à 1 h du matin.

La soirée allant bientôt finir, je mettais rendu pour m'appuyer sur le comptoir du bar en demandant une dernière bière, avant de partir et de rentrer chez moi.

Je finissais donc ma bière en regardant avec insistance un gros biker tatoué et en plus il ne mesurait pas loin de deux mètres environ.

Il vit que je continuais à le regarder avec insistance et me dit « Qu'est-ce qui t'arrive, tu veux ma photo, pauvre con ! » et je lui répondis aussi sec « Oh ! tu me parles meilleur, espèce que gros sac à merde ! ».

Pris de rage il courut pour venir vers moi en voulant m'asséner un grand coup de tête, mais je ne sais pas, comme par réflexe, je me mis à baisser la tête et son nez vint heurter le haut de mon crâne.

Le pauvre il venait de s'éclater le nez sur ma tête et il était quelque peu sonné et j'en avais profiter pour le pousser parterre en prenant soin de lui mettre deux ou trois coups de pied sur les côtes, et de vite prendre mes affaires pour vite sortir, avant qu'il ne puisse se relever en disant à Éric, « écoute Éric, je passerais te payer la prochaine fois, car là je suis pressé comme tu vois »

Quinze jours après je repassais donc revoir Éric du « Chalet », en espérant que cette petite histoire était enfin oubliée.

Je rentrais donc dans le Bar en saluant Éric et prenant une petite bière bien méritée, vu que je venais juste de quitter mon travail. Quelle fut ma plus grande surprise en relevant la tête ?

Je vous le donne en mille !

Je me disais dans ma tête « non pas lui ! », il y avait en fait le gars qui s'était éclaté le nez sur le haut de mon crâne et là, franchement, j'y voyais pas du tout beau pour moi en pensant « ça y est je suis mort ! »

Il s'approcha donc vers moi et à la surprise générale, il se mit à me taper amicalement sur l'épaule en me disant « Tu sais que tu te bas bien toi ? » et je lui répondis « ah bon, tu trouves ? » et lui me rétorqua « Oui, je n'aurais pas cru qu'un mec dans ton genre puisse me mettre parterre comme tu l'as fait, bravo quand même » et je lui ai répondu à mon tour « Merci », car dans ma tête je poussais un gros Ouf ! de soulagement. Et du coup, nous avons fini la soirée ensemble comme tous les vendredis et ce fut une soirée mémorable, que je ne suis pas près d'oublier !

Cette histoire m'a en fait appris pas mal de choses :

– Déjà dans un premier temps ça m'a permis de savoir que j'étais en fait capable de bien me défendre encore.

– Grâce à ça, j'ai pu reprendre confiance en moi en me disant que je peux être capable de faire pas mal de belles choses.

– Mine de rien, je me suis quand même servi de cette expérience à des fins bénéfiques.

– En surmontant mes peurs et mes angoisses en me disant que tout est possible, si on s'en donne vraiment la peine.

Et depuis, je ne me suis jamais rebattu.

Le moment le plus récent de ma vie : (Ce récit vous sera raconté de façon romancée, afin de changer les noms pour préserver l'intégrité et l'anonymat des personnes)

Ce que je n'espérais plus était enfin arrivé.

En ce fameux mois de mars 2017, je rentrais en contact Internet avec Marie-Chantal Pigot Épouse Durand à l'époque.

Je fis sa connaissance par Internet, comme beaucoup de personnes de notre époque et voilà comment cela se passa.

J'avais repéré son profil sur un site de rencontre.

Je suis entré en contact avec elle, en lui demandant, si elle voulait bien échanger avec moi quelques mots, afin que l'on puisse faire connaissance.

Elle ne me répondit que 2 ou 3 jours après en me précisant qu'elle était d'accord de pouvoir échanger quelques mots dans un premier temps.

Au fil de nos discussions, nous nous étions mis d'accord pour nous laisser nos numéros de portable.

Au départ sur le site, je lui spécifiais en lui demandant si elle était d'accord pour me rencontrer.

Elle répondit « appelle-moi demain matin, comme çà on pourra parler un peu au téléphone et je te donnerais ma réponse »

Je me décidais de l'appeler le dimanche 5 mars 2017 au matin vers 10 h afin de pouvoir l'entendre pour la première fois au téléphone.

Elle me répondit « attend je ne peux pas trop te parler je pars faire des courses, je suis en voiture » et je lui répondis « on peut se voir après si tu veux, je t'invite au resto ? ».

Elle répondit « attends, je te rappelle vers 11 h, 11 h 30 » et je lui répondis « OK, j'attends ton appel ».

À 11 h 20, le téléphone sonne et elle me dit directe, « viens me chercher si tu es d'accord, je n'en peux plus là, je prépare mes affaires » et je lui répondis sans hésiter « oui, j'arrive ! ».

En partant de chez moi, dans ma tête je me disais « putain ça va trop vite là, tant pis je fonce et on verra bien ».

Je prenais donc la direction de Montunel dans l'Ain pour venir la chercher.

J'arrivais à Montunel aux alentours de 12 h, 12 h 15 et on chargeait la voiture en vitesse pour pouvoir partir le plus vite possible.

D'un coup, je vis son fils Gérald qui était curieux de voir avec qui sa mère partait en pensant au départ que c'était son compagnon de l'époque.

Nous partîmes sans tarder en direction de Pierre-Bénite dans le Rhône à mon nouvel appartement que j'avais acquis en avril 2016.

À l'époque, je travaillais encore à Simply-Barket Gariboldi dans Lyon 6e.

Quand nous sommes arrivés à mon appartement, nous avons déchargé la voiture et monter toutes les affaires qu'elle avait pu emmener avec elle.

Vu l'heure à laquelle nous étions arrivés, nous avions donc décidé d'aller au restaurant le soir pour que nous puissions nous reposer un peu et pouvoir enfin faire un peu plus connaissance et faire descendre un peu le stress que subissait Chantal de plein fouet, vu qu'elle venait juste de quitter son domicile conjugal pour venir me rejoindre directement.

On peut en quelque sorte dire que ce fut quand même pas mal précipité dans le principe où tout cela s'était passé assez rapidement.

Je l'emmenais donc le soir même au restaurant le Palais Impérial à Pierre-Bénite après nous somme rentrer nous coucher, car le lendemain, je devais partir travailler.

La semaine qui suivait son arrivée, je l'emmenais avec moi pour lui faire faire la connaissance de Marguerite et Robert, les patrons du restaurant chez Marguerite et qui était situé rue Roger Salengro à Pierre-Bénite.

Le week-end arrivant je l'emmenais avec moi à une soirée dansante, organisé par une association des habitants de Pierre-Bénite et qui chaque année à la même période, organisaient leur soirée annuelle.

Je peux vous dire que c'était assez folklorique dans son ensemble et qu'avec Chantal on a passé la soirée à rire aux éclats tellement qu'il y avait des personnes très bizarres à cette soirée-là.

Ce fut une soirée mémorable, autant pour elle, que pour moi.

Chantal a quand même eu un certain temps d'adaptation à se faire à sa nouvelle vie.

Car quitter son domicile au bout de 37 années de vie commune avec son ex-compagnon, qui en fait n'aurait jamais dû mériter que cela dure autant, vu les infidélités qu'il lui faisait subir depuis un moment déjà et c'est cela qui l'a incité, après mûre réflexion, à partir.

Croyez-moi qu'elle n'a pas pris sa décision sur un coup de tête, mais sur un grand ras le bol en général.

C'était, en quelques sortes, devenu la femme parfaite au foyer, qui pendant toutes ces années durant, s'est occupée tant bien que mal de ses quatre enfants, tous bien élevés et grandis, avec pas mal de turbulences durant toutes ses années passées là-bas.

Le jour où elle décidait de vouloir vendre sa maison de Montunel qu'elle avait avec son ex-compagnon, elle remarqua qu'il continuait toujours avec ses infidélités, malgré un premier pardon qu'elle lui avait donné.

Cela fut la goutte d'eau qui fit déborder le vase.

Elle décida donc de vouloir le quitter.

Et c'est après tous ces tracas et soucis que la vie nous a emmenés à nous faire, se rencontrer.

Cela ne fut pas du tout facile pour elle, car elle a été confrontée à toute une grande partie de la famille de son ex-compagnon, ses enfants et les plus proches de sa famille encore.

Elle passait pour la salope, la mauvaise femme qui avait abandonné son mari et ses enfants.

Au bout d'une semaine qu'elle était avec moi, son ex-compagnon alla à la gendarmerie de Montunel, car il était soi-disant inquiet que sa femme ait quitté le domicile conjugal, car il ne croyait pas vraiment qu'elle partirait pour toujours et qu'elle finirait par revenir un jour.

Mais ce ne fut pas le cas, malheureusement pour lui.

Quelque temps plus tard nous décidions de nous marier et nous avions choisi la date du 15 juin 2019 à 10 h à la mairie de Pierre-Bénite et ainsi poursuivre par un vin d'honneur et un repas qui allait se passer à l'Auberge Savoyarde, juste à côté de la Mairie et nous avions choisi comme témoins.

Chantal de son côté, c'était sa sœur Valérie et sa nièce Tatiana.

Et de mon côté j'avais choisi Annie ma cousine et Yves son mari.

Les préparatifs étaient donc lancés. Chantal quant à elle s'occupait de sa robe de marié avec sa sœur Valérie et Natacha, pour l'emmener à une première visite et un premier essayage pour choisir une belle robe de mariée. Nous partions donc à la Mairie annoncer notre désire de nous marier et ainsi poser la date de mariage que nous avions choisi, le 15 juin 2019 à 10 h.

Je m'occupais de mon côté de préparer les faires-parts et lister les invités que l'on avait choisis pour venir se joindre à notre mariage.

Pendant que moi de mon côté je téléphonais à Samuel pour qu'il me fasse une belle paire de chaussures.

Après nous prenions rendez-vous avec Chantal pour voir à me trouver un super beau costume de mariage.

Et après un premier essayage, l'affaire fut plutôt assez concluante et nous avions pu trouver le costume idéal pour notre mariage.

Nous avions donc choisi comme Restaurant l'Auberge Savoyarde juste à côté de la mairie de Pierre-Bénite.

Chantal continuait quant à elle à voir à commander des dragées et divers ustensiles de préparation pour le mariage.

Plus le jour avançait et plus le stress se faisait sentir de tout côté car Chantal et moi voulions à tout prix, que ce mariage se passe superbement bien et que l'on vive un de nos plus beaux jours de notre vie de nouveaux mariés.

Ce fameux 15 juin 2019 arriva enfin et je peux vous dire très franchement que c'est le plus beau jour de ma vie en fait.

Car très sincèrement au fond de moi-même, avant que je puisse avoir cette grande chance de pouvoir rencontrer Chantal, je n'y croyais plus guère.

Car enfin grâce à elle je vais pouvoir finir ma vie en étant l'homme le plus heureux du monde.

Et que je compte bien là combler du meilleur que je pourrais en essayant de lui apporter joie, bonheur et sérénité.

Ma pensée philosophique

1 – Nous faisons partie d'un Monde où il est plus facile de conseiller, que d'agir.

2 – Qui ne vit que d'espoirs meurt désespéré (Traduction en Français du Proverbe Sicilien que disait Souvent ma Maman et qui me vient de mon Arrière Grand Père)

3 – Entre le dire et le faire, au milieu il y a la mer (Traduction en Français du Proverbe Sicilien que disait Souvent ma Maman et qui me vient de mon Arrière Grand Père)

4 – Qui a peur du couteau, meurt tôt (Traduction en français du proverbe sicilien que disait souvent mon Tonton Nino et qui me vient de mon arrière-grand-père)

5 – Dans la vie, il y a deux genres d'individus :

Ceux qui parlent beaucoup et qui ne font jamais rien.

Et ceux que l'on n'entend jamais et qui font énormément de belles choses.

6 – Je n'ai pas peur de la vie, j'ai juste peur des mauvaises des rencontres.

7– Je fais de mon handicap ma force, car elle me Permet de me prouver à moi-même et au monde entier ma vraie valeur.

8 – Il ne faut pas confondre valeur et paraître :

– La valeur se prouve ou apparaît naturelle

– Le paraître n'est qu'une apparence qui veut nous faire croire que l'on a de la valeur.

9 – L'homme naît bon et innocent et c'est après qu'il devient moins bon, plus cultivé et il perd peu à peu de son innocence en

devenant le produit d'une concurrence acharnée qui fait de lui un homme méchant et dangereux.

Mais heureusement qu'il reste quelques hommes dits rebelles et qui restent très minoritaires malheureusement et qui sont rendus souvent à la loi du silence.

10 – Plus tu es hypocrite et plein de mauvaises attentions et plus tu arrives à te faire aimer.

Plus tu es Franc, Sincère et Honnête, et là tu arrives à te faire détester.

11 – Être c'est être sans faire semblant et Paraître c'est être en faisant semblant.

12 – L'Homme réellement fort ne se vantera jamais de sa force. (Sauf s'il souffre de Vantardise.)

L'Homme faible fera tout pour se vanter en faisant croire qu'il est fort.

13 – Mieux vaut être riche intellectuellement et avoir un bon cœur généreux afin de pouvoir apporter cette richesse au plus de monde possible, que d'être riche pécuniairement, être avare et ne pensez qu'à soi-même, ou à une infime catégorie de gens.

14 – Dieu existe-t-il ?

Spirituellement, je pense que oui.

Mais la réalité du monde où nous vivons nous en montre une bien piètre réalité et nous donne vraiment pas l'envie d'y croire.

15 – Pourquoi se dit-on souvent « La vie est dure » ?

Ce n'est pas la vie qui est dure, c'est le monde qui nous entoure.

Si tu es assez fort, tu peux en partie t'en sortir, si tu as du mal n'hésite jamais à te faire aider pour pouvoir t'en sortir

16 – Il vaut mieux avoir envie d'avoir de la Générosité, afin de devenir réellement généreux, que d'avoir l'air d'être généreux et pouvoir profiter de la Misère du monde.

17 – Ne montre jamais que tu as peur, sinon on cherchera toujours à te faire peur

18 – Montre toujours ton courage, ton honnêteté, ta sincérité, en restant ferme et déterminé, car un jour ou l'autre ça finit toujours par payer.

19 – Rien ne sert de s'énerver, il suffit de trouver la bonne solution pour ne pas s'énerver.

20 – Plus tu t'énerves et moins tu réussis, car la tension ne permet jamais de travailler sereinement.

21 – Plus tu restes calme et serein et plus tu réussis à faire pleins de belles choses qui donnent envie à l'autre à pouvoir t'encourager encore plus, à aller plus loin.

22 – La Vie m'a appris qu'il n'y a pas de courage sans volonté et envie, car si tu n'as pas envie d'avoir la volonté, tu ne peux pas avoir le courage d'affronter la Vie.

23 – La beauté physique demande à la beauté intérieure « Comment fais-tu pour rester toujours aussi belle ? »

La beauté intérieure lui répond « Je ne suis pas éphémère moi et je respire plus la sincérité »

24 – Mon Père me disait tout le Temps, « Il ne suffit pas d'avoir l'air, mais il faut la chanson qui va avec »

25 – Ma Maman me disait toujours « Les Choses, pense-les toujours avant de les faire, car ce n'est pas une fois que tu les as faites, qu'il faut venir pleurer et regretter de les avoir faits »

26 – Le pisseux injurie le caqueux « Inspiré d'une Citation que ma Maman nous disait toujours en sicilien chaque fois que l'on critiquait injustement les gens »

27 – Dans la vie pour pouvoir aimer les autres, il faut d'abord s'aimer soit même.

28 – Je préfère rester beau intellectuellement et intérieurement, que physiquement, ça dure plus longtemps.

29 – Je préfère être riche d'une bonne famille heureuse et en bonne santé et avec qui je peux m'appuyer tout au long de ma vie, que d'être riche matériellement, même si l'argent contribue au bonheur, mais ne fait pas tout.

30 – Il vaut mieux avoir l'air sévère et méchant et avoir bon Cœur, que d'avoir l'air gentil et mielleux et être pourri de l'intérieur.

31 – La Peur ou la Méfiance (Suivant l'individu) est un sentiment de protection.

La Peur ou la Méfiance nous aide à prévoir et anticiper le danger.

En voyant le danger arriver, nous sommes mieux préparés à l'éviter ou à l'affronter.

32 – Je suis fort en sachant rester humble, honnête et courageux.

Si je passe mon temps à me vanter, tricher ou devenir lâche, alors là je deviens faible.

33 – Je me suis souvent posé la question :

– Pourquoi la vie ne m'a pas laissé le choix ?

– En me posant sans cesse la question, je me suis juste rendu compte qu'en fait le choix, on peut l'avoir

– Il suffit de chercher à savoir ce que l'on veut réellement et ce qui pourrait nous faire avancer dans la vie

– Et là, on pourra dire « J'ai le Choix »

34 – Ma Maman et mon Papa ont toujours été une source d'inspiration pour moi

Ma Maman m'a appris le courage, la volonté, la hargne et n'hésitait jamais à me mettre des coups de pied aux fesses quand elle voyait que je lâchais prise.

Elle a toujours été là quand j'avais des périodes de déprime et n'hésitait jamais à me répéter sans cesse en sicilien « allé, remet toi la tête en place, bouge-toi et avance »

C'est en partie grâce à elle si j'ai pu devenir ce que je suis.

Mon Papa lui cependant m'a appris, l'honnêteté, la franchise, la méfiance, essayé de ne jamais mentir et appris aussi à savoir me débrouiller pécuniairement tout seul, car dans la famille on ne roulait pas vraiment sur l'Or

Je sais et je l'avoue que je n'ai souvent pas vraiment toujours écouté ses conseils, mais grâce à ça, j'ai pu les appliquer avec le temps et cela m'a beaucoup permis de pouvoir m'en sortir.

Merci, Maman, Merci, Papa, car sans vous je n'aurais jamais eu le courage, la volonté, l'honnêteté et la franchise, pour en être arrivé là où j'en suis actuellement.

Sans eux, j'aurais sûrement mal fini.

35 – Tuer est strictement interdit.

Tuer est un Péché tout court.

Sauf si tu te trouves en face de quelqu'un qui essaye de te tuer et que là tu n'as pas vraiment le choix.

Tuer n'est pas un droit, c'est juste un instinct de survie, mais si on peut éviter de tuer c'est mieux.

36 – Envie et Courage vont de pair.

Si tu n'as pas Envie d'avoir le Courage d'affronter la vie, alors ça risque de devenir très compliqué pour toi.

37 – La Vraie générosité ne se calcul pas en rapport à tous les biens matériels que tu peux être en mesure d'offrir

La Vraie générosité est ce que tu offres, même si cela représente autres choses que du matériel et qui a réellement une Vraie valeur.

La Valeur du Cœur.

38 – Méfiance ne rime pas avec Confiance.

39 – Mes 10 Commandements :

– Donne sans espérer quoi que ce soit en retour

– N'attends jamais rien de personne

– Ne sois pas trop prétentieux

– Sois le plus généreux, mais qu'avec les personnes qui le méritent vraiment (Je parle des gens sincères et non profiteurs)

– Sois attentif aux plus démunis et apporte leur joie et réconfort

– Sois ferme et fais-toi respecter

– Respecte les autres, si tu veux être respecté à ton tour

– Donne beaucoup d'amour, si tu veux à ton tour en recevoir

– Regarde d'abord tes défauts et essaye de les corriger, au lieu de regarder ceux des autres.

– Mets en action les 9 premiers commandements que je viens de te citer

40 – Reconnaître ses torts, c'est déjà pouvoir être en mesure d'être plus crédible aux yeux de pas mal de personnes.

41 – Je préfère être reconnu pour ce que je suis et non pour ce que je possède.

42 – À trop vouloir trop faire semblant, on finit par ne plus trop se reconnaître.

43 – Il vaut mieux rester vrais et s'accepter tel que l'on est, que de faire semblant d'être ce que l'on n'est pas en mesure d'être.

44 – Avoir l'air d'en vouloir et vouloir en avoir l'air c'est la même chose, mais ça se dit différemment.

45 – Qu'est-ce que la Normalité ?

Pour moi, la Normalité n'est ni plus ni moins qu'une invention de l'Homme qui détermine ce qui soi-disant doit être normal et cela est déterminé en général par ceux qui détiennent les rênes de ce monde gouverné par les plus riches, qui mettent en place des sous-fifres qui s'en chargent.

La Normalité, tout du moins par le nom c'est la nature qui nous l'a donné et l'homme l'a arrangé à sa manière, histoire de pouvoir instaurer des règles, ses propres règles.

46 – Dans ce monde où nous vivons, les trois plus importantes religions sont à mon avis :

– La Religion Juive

– La Religion Chrétienne

– La Religion Musulmane

– Je pense dans tout ça que le problème ne vient pas de ces trois Religions en elles-mêmes, mais des Mouvances qui en découlent :

• Déjà dans la Religion Juive il y a plusieurs Mouvances :

– Les pharisiens

– Les esséniens-messianistes

– □Les sadducéens

– Et sûrement d'autres, dont je n'ai pas connaissance

• Dans Religion Chrétienne :

– Les catholiques

– Les protestants

– Les orthodoxes

– Les anabaptistes-mennonites

– Les luthériens

– Les baptistes

– Les Utériens

– Les restaurationnistes

– Les pentecôtistes

– Les méthodistes

– Les calvinistes-presbytériens

– Les anglicans-épiscopaliens

– Les assyriens

- Dans la Religion Musulmane

– Les chiites

– Les kharijites

– Les sunnites

– Le soufisme

– Les wahhabites

– Les salafistes

– Et bien d'autres, je suppose, et n'en ayant pas connaissance.

Vous voyez déjà la Quantité de Mouvances que cela peut représenter et encore je n'ai pas pu tout mettre à cause de mon manque d'informations sur le sujet.

Pour faire une synthèse de tout ça, le constat personnel que j'en fais :

– Je me rends compte que c'est un vrai désastre

– Les Juifs se sont fait la Guerre entre eux et se battent la place à celui qui gouvernera.

– Les chrétiens se sont toujours fait la Guerre entre eux et ne sont jamais mis d'accord sur les Vrais Fondamentaux.

– Les musulmans se font la Guerre à cause d'un conflit politique sur la désignation du calife ou iman (Successeur du Prophète à la tête de la communauté).

Mahomet n'avait pas donné d'instruction à cet égard.

Après tout ça, je me dis qu'au fond de moi-même toutes les Religions sont belles, du moment qu'elles soient pratiquées en toutes libertés avec le choix de Chacun par la voie qu'il aura choisie et non par ce que l'on a toujours voulu nous imposer, quelle que soit cette religion, afin d'asseoir une sorte de Dictature Religieuse.

Il serait bien de laissé libre choix de croire ou pas en Dieu.

La Vie serait tellement plus belle si tous les gens, peu importe la Religion ou pas, s'entendaient et passaient plutôt leur temps à jouer, rire, s'aider et avoir des occupations qui leur permettraient de vivre en toute harmonie.

Je sais, vous allez sûrement me dire que je suis un grand rêveur, mais c'est en tout cas le Monde que j'aurais aimé.

Un Monde d'Amour, de Partage, de Liberté d'Entraide.

En Somme, un Monde presque Parfait

47 – On n'a pas à décider pour les autres, on a juste le droit de conseiller et si les autres sont d'accord avec vos conseils, se seront eux qui l'auront décidé.

48 – Le Mensonge n'est que la vérité de ce que l'on voudrait nous faire croire et que l'on interprète faussement.

La Vérité est ce que beaucoup de personnes voudraient faire passer pour Mensonge, car à leurs yeux toute vérité n'est pas bonne à entendre.

49 – J'ai deux Raisons d'aimer ma Femme

– La première est que je l'adore

– La deuxième c'est que je sais que je vais pouvoir finir ma vie avec elle

50 – Dans la vie d'un Couple, si l'un aime l'autre et l'autre ne l'aime pas, ce n'est pas la peine de continuer.

Car il y aura toujours un profiteur et un qui continuera de tout le temps se faire avoir.

C'est pour ça qu'il est bien de se rendre compte que si l'on vous aime pour ce que vous avez et non pour ce que vous êtes, tout simplement et bien vous resterez tout le temps, le Dindon de la farce.

Alors, ouvrez les yeux.

51 – Je préfère rester à apprendre de mes propres moyens, que d'apprendre à faire des études et devenir le produit d'une sélection où l'on vous fabrique en machines à exploiter, tuer et servir une minorité qui possèdent à eux seuls toutes les richesses du monde.

52 – Le Pauvre demande au Riche « Pourquoi tu es souvent triste, pourtant tu as de l'argent à gogo et tu peux tout avoir ? »

Le Riche lui répond « C'est vrai je peux tout avoir, mais justement c'est ce qui me rend triste. J'ai tout et plus rien ne me fait envie et je m'ennuie à mourir. »

Le Pauvre lui répond « J'ai une idée pour te rendre plus heureux. »

« Ah bon laquelle », lui répondit le Riche.

« Eh bien il te suffit de partager ton temps à vouloir connaître toutes sortes de personnes, chercher à partager, chercher à faire du bien autour de toi, dépenser sans compter et tu verras que toute ta vie, tu seras le plus heureux des hommes, car tu auras contribué à rendre les autres heureux et qui chercheront à leur tour, de faire la même chose que toi », lui répondit le Pauvre.

53 – Fais-toi aimer par plaisir et non pas par intérêt

Sinon les gens ne cesseront de t'aimer, pas pour ce que tu es, mais plutôt pour ce que tu as, et là tu te feras toujours avoir.

Je parle en connaissance de cause, car je voulais tellement faire plaisir autour de moi, que j'ai mis pas mal d'années à me rendre compte, qu'en fait, pas mal de personnes ont profité de mes largesses généreuses et que le jour où je me suis retrouvé dans la mouise la plus totale, pratiquement plus personne ne m'aimait.

Heureusement qu'il me restait ma famille autour de moi, sinon je ne sais pas comment j'aurais fini.

Tout cela m'a ouvert les yeux, malgré tout je continuerai à rester généreux avec les personnes qui le mérite vraiment et non avec les profiteurs qui font semblant de t'aimer.

54 – Mes 10 Commandements de l'Amour :

– Aime ta Moitié, comme tu voudrais qu'elle t'aime.

– Ne la trompe jamais avec une ou un autre.

– Garde toujours un œil bienveillant.

– Reste franc, sincère, généreux et pas mal à son écoute.

– Accepte ses critiques et ses reproches du moment qu'ils soient fondés et cela te permettra tout le temps d'avancer.

– Donne de bons conseils à ton tour afin de pouvoir instaurer une bonne harmonie dans la vie de couple.

– Rester souder en toutes circonstances même les pires.

– Ne jamais laisser quelqu'un d'autre s'initier dans votre vie de couple.

– Rester humble et ne jamais chercher à prouver sa supériorité de l'un à l'autre.

– Pour qu'un couple dure le plus longtemps possible, respectez les 9 commandements précédents.

55 – Je n'ai jamais choisi d'être en compétition, avec qui que ce soit.

Je n'ai jamais voulu prouver que j'étais meilleur que les autres.

J'ai juste essayé d'être meilleur de jour en jour.

56 – Pour moi, il y a deux Sortes de Haine :

o La Haine positive :

– La Haine positive est la haine qui te permet de trouver la force et la hargne en toi à pouvoir te dire « Je dois y arriver, je vais y arriver et rien ne pourra m'arrêter et me prouver le contraire » o La Haine négative :

– La Haine négative quant à elle, est fortement déconseillée, car elle t'emmène directement à la violence, la vengeance et te contrains à t'engluer dans une panade le plus totale et te force à faire des choses que tu risques de regretter plus tard.

57 – Qu'est-ce que l'Oisiveté pour moi ?

– L'Oisiveté est une sorte de farniente ou d'inoccupation, qui te permet de t'évader du monde rempli de contraintes et de durs labeurs et de pouvoir souffler un peu et surtout se reposer et faire pleins de belles choses que tu choisis toi-même de faire et sans obligations et sans être forcé de le faire et surtout prendre du temps pour soi.

– Mais pourquoi dit-on alors que l'Oisiveté est le mal de tous les vices ?

– Eh bien, il paraît d'après les dires de certains

– Celui qui est oisif peut être exposé à toutes sortes de tentations et avoir le temps d'y céder.

58 – Le Mal et le Bien

– Le Mal est perçu comme quelque chose de pas Bien

– Le Bien est perçu comme quelque chose de pas Mal

– Alors faire du Bien n'est pas si Mal que çà

– Faire du Mal ce n'est pas Bien

Cela m'a permis de me rendre compte que le Mal et le Bien s'opposent mais sont unis dans chacune de mes phrases (Petit Clin d'œil et pointe d'humour)

59 – Si tu n'arrives pas à trouver le courage en ayant toujours peur de ne pas y arriver, alors cherche un soutien de confiance et fais en sorte de trouver cette force qui te manque tant.

60 – Plus tu apprends à te développer en ayant reçu une bonne éducation à pouvoir développer un maximum de connaissances et mieux tu seras armé à pouvoir aider à améliorer ce monde.

61 – La vraie liberté.

– Pour moi la vraie liberté on ne l'a que par la pensée

– Mais concrètement dans notre vie, c'est une autre histoire

62 – La différence entre le Bien et le Mal ?

○ Le Bien c'est pas Mal

– Et

○ Le Mal ce n'est pas Bien

63 – NOTRE VOYAGE (ma Femme et moi)

Nous avons décidé, d'un commun accord, de nous unir.

Nous nous sommes dit « Nous n'avons plus le temps d'attendre »

Et c'est ainsi que nous voulons la vivre.

Nous voulons traverser les décennies ensemble, affronter vents et marées.

Je t'ai choisie comme tu m'as choisi et on s'est juré fidélité pour la vie.

Je veux être à tes côtés en tout temps.

Partager avec toi les joies, les peines et les rires.

Ensemble, nous voguerons sur tous les fronts et rien ne pourra nous séparer.

Tu es mon amour adoré, ma raison de vivre, mon rocher et ma meilleure amie.

Ensemble, nous vieillirons et suivrons le chemin du temps.

Ensemble, nous aimerons regarder dans la même direction et regarder filer le temps.

Nos deux cœurs resteront illuminés et réfléchiront leurs doubles lumières.

Nos deux esprits seront comme deux miroirs jumeaux.

64 – La Communication Verbale

○ Le Dire :

– C'est communiquer par voie orale, mais ce n'est que des paroles qui ne demandent qu'à être mises en application.

65 – La Communication non Verbale

o Le Faire : c'est la confirmation sans paroles qui est réellement mise en application de ce qui s'est dit.

o C'est pour cela que l'on dit souvent « Le Dire c'est bien, mais le Faire c'est mieux »

o Ce que l'on est, est plus facile à démontrer, que ce que l'on dit.

o Oui mais comment ?

– En prouvant tout simplement par des actes ou des habitudes que l'on a acquises et qui pour nous, nous paraissent simples à faire.

– Pas besoin de parler pour se faire comprendre dans certaines situations

o Le Silence est une forme d'insolence au sujet de celui qui le reçoit, suivant s'il vous a mal parlé ou a été violent verbalement avec vous

o Le Silence est aussi une forme de dialogue qui ne s'entend pas, mais qui se ressent

66 – La première impression :

On dit souvent que la première impression est toujours la bonne, mais à mon humble avis, je ne suis pas du tout d'accord avec ça, pourquoi ?

– Déjà dans un premier temps cela dépend de la personne qui se présente à vous

– Savoir si la personne est sincère ou fait semblant et essaye de vouloir me faire croire qu'elle est la personne qu'elle veut réellement me montrer (une personne sincère et honnête)

– La première impression peut être déterminante et trompeuse à la fois, car on peut se faire avoir par une belle apparence ou un beau discours

– C'est pour cela que l'arme favorite des séducteurs, des menteurs et des autres prédateurs (escrocs, personnes mal attentionnées et perverses) est l'Apparence.

– Mais ce que je peux affirmer, c'est que si nous avons une réelle capacité à pouvoir analyser la personne qui se trouve en face de nous, on peut s'apercevoir si la personne est réelle et sincère, tout simplement par son comportement qui peut le trahir.

– Je l'avoue quand même qu'il reste des personnes spécialisées dans ce domaine et qui sont très difficiles à déceler à l'instant présent.

– Pour en finir à ce sujet, comme on dit souvent « méfiez-vous des apparences, souvent trompeuses »

67 – Je suis un révolté, du plus loin que je me souvienne, je ne supporte pas les injustices, je ne supporte pas l'imposture.

Je pourrais m'en accommoder comme tant d'autres, mais je ne peux pas, c'est au-dessus de me forces.

Le monde est laid, le monde est un immense gâchis et je ne supporte pas le monde dans lequel je vis.

Toute cette haine, toute cette indifférence, tous ces massacres, au nom de quoi, de la religion, du pouvoir.

Je n'en ai que faire, pour moi la vie est sacrée, mais elle ressemble si peu à ce que nous pourrions en faire.

Vivre ensemble avec nos différences, vivre ensemble avec l'amour de la vie, un enfant qui sourit, une femme que rit, un homme qui donne.

Cela vous parle-t-il ?

Peu importe, chacun trace sa vie, sans se soucier de l'autre, mais demain, si vous avez besoin de l'autre vous serez seul.

Seul, vous entendez ?

Vous pourrez crier, personne ne vous entendra, vous entendrez le bruit des bottes, lancinant venir vers vous et vous ne pourrez plus rien faire sinon vous plaindre, gémir.

Personne ne vous entendra.

Vous ne pourrez ne vous en prendre qu'à vous-même, je ne vous plaindrais pas, je n'aurais aucune pitié.

Je suivrais mon chemin, sans haine, mais je ne vous regarderais pas, vous n'êtes que l'ombre de vous-même.

68 – Quand l'amour est sincère en général, il devient alors éternel.

Mes poèmes

Le savoir

Le savoir
C'est le pouvoir

Le pouvoir de savoir apprendre
À se défendre

Se défendre de l'ignorance
Qui souvent nous fait offense

Nous offense dans le sens de ne jamais être considéré de façon
À être reconnu comme une personne de raison

Quand je parle de raison, je parle de raisonnement à vouloir devenir
Ce que nous dicte notre avenir.

Plus tu apprends à apprendre
Et plus tu as envie d'apprendre

Apprendre à savoir
Apprendre à pouvoir

Apprendre nous aide aussi à chercher pas mal de solutions
appropriées
À développer ce qu'il y a de meilleur dans nos capacités
insoupçonnées.

Être le meilleur ne veut rien dire
Chercher à devenir meilleur de jour en jour, là ça veut tout dire.

Cela veut dire que l'on cherchera toujours
De chercher à savoir encore et encore, de jour en jour.

Plus tu sais et plus tu es en capacité à pouvoir
Donner aux autres ce pouvoir

Ce pouvoir d'apprendre
Et de comprendre

Comprendre
C'est pouvoir répandre

Répandre pas mal de connaissance
Qui nous donne cette aisance

Cette aisance à toujours croire
Que l'on peut toujours savoir

Le savoir
C'est le pouvoir

L’amour

L’amour
Je suis pour.

Aimer
C’est être en mesure de se faire aimer.

Si ton amour reste sincère
Il ne restera jamais éphémère

Si tu fais semblant d’aimer
À force, tu finiras par te faire détester

La sincérité vraie est plus forte que tout et te permet d’avancer
À pouvoir plus facilement évoluer.

Elle te permet de vouloir
Rester en vie, en ayant le pouvoir

Le pouvoir d’avoir la solution
À souvent amener la raison

La raison du plus sage
Nous rend encore plus sage

Car la sagesse
Emmène une certaine largesse

Une largesse d'esprit qui te permet d'ouvrir le cœur
Des personnes étant restées dans la haine et la douleur.

La douleur d'une vie
Qui ne leur a jamais donné l'envie d'avoir envie.

L'envie d'aimer
Et de se faire aimer.

Plus tu aimes et plus tu pourras être en mesure
De pouvoir inciter une personne à être sûre.

Sûre de pouvoir à son tour répandre l'amour
J'en suis sûre qu'elle aussi pourra le répandre à son tour.

La colère

La colère
Emmène la galère.

Une galère qui peut nous emmener
À faire de mauvaises choses que l'on pourrait regretter.

Chercher à estomper cette colère, donne le courage
D'effacer cette rage.

Cette rage qui nous empoisonne la vie
Et qui nous pousse à chercher de l'envie

L'envie
D'avoir envie

L'envie de pouvoir trouver la solution
À retrouver la raison.

La raison
Que nous donne notre imagination.

Imaginer le bon
Emmène le bon

Imaginer le mal
Ne peut qu'engendrer le mal.

Les pensées positives nous aident à mieux apprendre
Et entreprendre

Apprendre à relativiser
Tout ce qui peut nous arriver.

Anticiper pas mal de choses, permet de voir venir
Et de pouvoir prévenir.

Prévenir du danger qui nous guette souvent
À vouloir nous nuire constamment.

Plus tu apprends à savoir te maîtriser
Et plus tu seras en mesure d'éviter ou affronter le danger.

La raison
Emmène toujours une solution.

Une solution
À pouvoir trouver la meilleure solution.

Laisse ta colère de côté
Et tu verras que tu pourras souvent trouver le remède adapté.

La sagesse

La sagesse
Emmène la largesse

La largesse d'esprit qui nous aide à pouvoir
Nous développer plus facilement dans le savoir.

Le savoir de l'être
Que nous désirons être.

Rester sage
C'est de pouvoir accéder au passage

Le passage de la douleur
À la douceur

Cette douceur de vie
Que nous avions toujours eu envie

Envie de vivre une vie plus sereine
Qui nous aide à éviter la peine

Cette peine
Qui constamment nous fait peine

Et nous donne l'envie de sortir
De cette spirale qui cherche à nous endormir

Nous endormir
Et nous faire souffrir

C'est pour cela qu'il est important de pouvoir se faire aider
Quand le désire nous dicte d'y aller

Se faire aider n'est pas une honte, bien au contraire
Et nous savons comment enfin pouvoir faire

Faire en sorte de pouvoir s'en sortir et pouvoir vivre une vie,
des vies
Remplis d'envies

Et de pouvoir dans la tendresse
Trouver la sagesse.

La différence

La différence
Peut emmener à l'indifférence

Dans d'autres cas, elle peut nous montrer
À se faire rencontrer

Et ainsi pouvoir découvrir son contraire
Qui par la simple curiosité nous donne envie de le connaître

Apprendre la différence
Nous apprend aussi la tolérance

Être tolérant, c'est montrer de l'empathie
À vouloir donner l'envie

L'envie de connaître plein de nouvelles choses
Qui nous donne envie d'aller proposer d'autres choses

C'est pour cela que la différence nous permet le savoir
Le savoir comment mieux la percevoir

En cherchant par pure curiosité à savoir
Comment mieux être en mesure de L'apercevoir

Savoir apprendre
Pour mieux comprendre

Comprendre à pouvoir
Faire connaître ce que nous sommes en mesure de vouloir faire savoir

Plus tu en connais
Et mieux tu renais

Tu renais dans la connaissance
Qui pour toi, est une grande chance

La chance de pouvoir avoir la chance
De montrer aux autres que tu as vraiment de la chance.

La chance d'apprendre
Et de comprendre

Comprendre comment découvrir la vie
La vraie vie.

Dans ma vie

Dans ma vie d'enfant, je me suis souvent mis à pleurer,
En espérant sans cesse que le bon dieu puisse m'écouter.

J'avais tant attendu,
Ce temps qui n'est jamais venu.

Le temps où je voulais devenir, soi-disant un enfant normal,
Et qui m'a appris en fait que je n'étais pas si mal.

En grandissant, je me rendais compte que je pouvais,
Devenir en fait ce que je voulais.

C'est souvent le regard des autres qui m'a appris,
Que je pouvais enfin être compris.

Dans le sens où je me rendais compte que je pouvais être,
Quelqu'un que je voulais être.

Une personne sincère, honnête et courageuse,
En essayant de garder sans cesse une mine joyeuse.

C’est sûrement grâce en grande partie à mes parents, qui m’aimaient tant,
Que j’ai pu devenir un adulte tout en gardant cette âme d’enfant.

Merci à la vie,
De m’avoir donné cette envie.

L’envie d’être en somme,
Un homme.

Mes 2 contes imaginaires

Biboune contre le grand Chacal Doré

Il était une fois un petit garçon du nom de Biboune et c'était un petit garçon fort maladroit et pas très malin.

Un jour qu'il se promenait dans la forêt, il fit la rencontre de la Fée Giovanna, qui lui demanda : « Que fais-tu tout seul comme çà dans la forêt ? » et Biboune lui répondit : « Oh ! je ne sais pas trop, maintenant que j'ai perdu mes parents, qui ont été mangés par le grand Chacal Doré, je ne sais plus où aller »

Et la Fée lui rétorqua « Tu ne dois pas rester ici, c'est trop dangereux, si le grand Chacal Doré te voit, il n'hésitera pas à vouloir te tuer »

« Qu'est-ce que je peux faire, alors ? » répondit Biboune.

« Écoute, viens avec moi, je te prendrai en charge jusqu'à que tu puisses être en mesure à devenir un homme », lui répondit la Fée.

La seule chose, qui pouvait tuer ce grand Chacal Doré, était un pieu qui se trouvait au sommet de la grande montagne « le Kilimoundary », qui culminait à plus de 12 000 mètres d'altitude.

Ce qui rendait la tâche trop compliquée pour pouvoir aller chercher ce pieu.

La Fée Giovanna prit donc sous son aile le petit Biboune, afin de lui inculquer les fondamentaux afin de réussir à pouvoir devenir un vrai guerrier et l'homme de la situation à pouvoir aller chercher ce pieu tant désiré, afin de pouvoir éliminer le grand Chacal Doré.

Biboune commença donc son apprentissage, en apprenant l'art et la manière de savoir se battre contre n'importe qui.

Ce qui ne fut pas du tout facile pour lui.

Il dû travailler très dur et avec un acharnement titanesque.

Durant toutes ces années passées, Biboune devint alors enfin prêt à affronter

« Le Kilimoundary »

Le Jour J arriva et Biboune se prépara pour escalader la grande montagne

« Le Kilimoundary ».

Prenant avec lui un énorme sac à dos et quelques recettes que lui avait concocté la fée Giovanna afin qu'il puisse affronter plus sereinement et plus facilement « Le Kilimoundary ».

Après plus d'un mois de périples tumultueux que subit Biboune, il arriva enfin à pouvoir entrevoir la fin de son parcours titanesque et se rendre à l'endroit où se trouvait le pieu.

Enfin une fois arrivé à l'endroit tant désiré il s'approcha du pieux et en voulant le retirer, il dut faire face à une incroyable difficulté à pouvoir arracher ce pieu qui apparemment était très bien ancré dans la pierre.

Il se rendit vers son sac et prit un peu de potion que lui avait concoctée la fée Giovanna et il put, comme ça, arracher le pieu et pouvoir redescendre le « Kilimoundary ».

Et après un périple de plusieurs jours à redescendre de la montagne, il en profita pour se reposer quelques jours, afin de retrouver un peu de force et être fin prêt à pouvoir affronter le grand « Chacal Doré ».

Biboune, enfin reposé et ayant bien écouté les toutes dernières recommandations que lui avait données la Fée Giovanna, put se préparer à partir combattre le grand Chacal Doré.

Biboune partit donc affronter la bête.

Une fois arrivé dans la grande forêt, Biboune se lança donc à la recherche du Grand Chacal Doré.

Après un bon moment de recherche, il finit par tomber nez à nez avec la bête.

C'était une gigantesque bête qui était incroyablement féroce et dotée d'une dentition et d'une force incroyable, que personne ne pouvait vaincre.

Biboune prit donc la mesure du problème qui l'attendait, en préparant une forme de stratégie bien réfléchie.

Après plusieurs heures d'affrontements acharnées, la bête finit par lâcher prise, car Biboune avait bien pris le temps de bien fatiguer la bête pour pouvoir en venir à bout et enfin pouvoir lui asséner le coup de grâce.

Le Chacal Doré finit par se faire transpercer par le pieu et mourra aussi sec.

Biboune devint alors, le héros de la Forêt, car grâce à lui tous les habitants de cette forêt, pouvaient enfin vivre tranquilles et serins afin de pouvoir construire tant de belles choses.

Les aventures de Zanouna et du Docteur Baltatraque

Zanouna était un petit insecte de la famille des Zizanaés, des petites bêtes si minuscules que personne ne pouvait les voir à l'œil nu.

Zanouna en profitait donc pour se balader de part en part sans être vu.

Zanouna arriva par hasard dans une petite maison où habitait un docteur qui expérimentait une toute nouvelle machine.

À quoi pouvait donc servir cette machine ? s'interrogea Zanouna.

Elle dut attendre le lendemain matin pour apercevoir ce fameux docteur qui était souvent entrain de marmonner en pestant à chaque fois qu'il essayait la bonne formule pour pouvoir enfin réussir une fois pour toutes à faire fonctionner son invention.

Zanouna mis un moment avant de pouvoir comprendre à quoi allait servir cette toute nouvelle machine.

À force de patience et de persévérance, elle commençait à entrevoir ce que le docteur était en train de concocter.

C'était en fait une machine à augmenter la force et le volume de tout être vivant, mais juste et seulement à des fins médicales, afin de lui permettre de mieux voir les plus infimes bactéries qui étaient pratiquement indécelables et que grâce à cette nouvelle machine il pouvait les faire devenir énormes en les gardant bien confinés dans la machine pour éviter qu'elles ne se propagent dans la nature et fassent des dégâts incommensurables.

Il lui fallait bien ça pour être en mesure de faire grossir ces bactéries pour pouvoir en retirer un maximum de leur force, afin de pouvoir trouver plus facilement l'antidote et combattre n'importe quelles maladies.

La machine allait enfin pouvoir faire son travail après un sacré moment passé à pouvoir la faire fonctionner convenablement.

Le docteur avait pris la précaution de ne prendre que des fines particules de poussières pour expérimenter sa machine.

Une fois la machine prête, le docteur décida d'y faire entrer une certaine quantité de bactéries en prenant bien la précaution qu'elles ne se propagent pas de partout.

Une fois les bactéries entrées dans la machine elles étaient en conditions de pouvoir prendre un certain volume convenable pour que le docteur puisse entamer ses travaux de recherches d'antidotes.

La machine se mit à ne plus vouloir s'ouvrir et c'est là qu'allaient commencer les plus gros soucis pour notre pauvre docteur.

À propos du docteur, j'ai oublié de vous donner son nom « Le Docteur Baltatraque »

Les bactéries continuaient donc de grossir pour devenir de plus en plus énorme et le docteur ne savait plus comment arrêter la machine car le seul moyen qu'il avait, c'était de pouvoir entrer dans le sas de sécurité afin de pouvoir appuyer sur le bouton afin de pouvoir arrêter la machine et c'était justement cette porte qui était coincée et qu'il était impossible d'ouvrir vu la robustesse du champ magnétique qui maintenait la porte fermée et qui empêchait son ouverture à cause d'une surintensité de la machine. Au bout d'un certain temps, les bactéries devinrent si grosses, si fortes et si énormes, qu'elles avaient réussi à casser la porte et sortir.

C'était la pire catastrophe qui pouvait arriver à ce pauvre docteur.

Alors Zanouna décida de lui venir en aide en appelant du renfort avec elle.

Car Zanouna était issue d'une race d'insectes, qui étaient de redoutables guerriers.

Mais une seule chose leur manquait, c'était la taille.

Elle décida donc d'aller chercher du renfort et de chercher à entrer dans la machine du Docteur Baltatraque, pour prendre un peu plus de volume et de force au passage, afin de pouvoir combattre ces féroces bactéries qui étaient parties pour faire de sacrés dégâts et par mal de morts sur leurs passages.

Pendant que le Docteur était en train de se morfondre, Zanouna arriva donc avec du renfort et essaya tant bien que mal à pouvoir rentrer en contact avec le Docteur qui ne pouvait pas les voir, car ils étaient trop petits, et ne pouvait également les entendre.

Mais Zanouna eut une idée de génie en renversant du sable parterre et en l'étalant celui-là lui permit de pouvoir communiquer par écrit avec le Docteur.

Le pauvre Docteur se tenait la tête avec les deux mains en se disant « Mon dieu, qu'est-ce que j'ai fait là, c'est une vraie catastrophe et à cause de moi, des millions de personnes vont mourir par ma faute. »

Elle inscrivit donc « Docteur, je sais que vous ne me voyez pas mais il est urgent pour vous et pour tout le monde que vous puissiez nous permettre de pouvoir rentrer dans la machine, afin de nous puissions prendre du volume, afin de pouvoir vous venir en aide »

Le Docteur voyant les écrits en restant sur le coup un peu surpris quand et très content et un peu soulagé en pensant que la divine providence lui venait enfin en aide.

Il exécuta donc les consignes de Zazouna qui entra dans la machine avec ses guerriers prêts à combattre l'ennemie.

Zanouna et tous ces Zizanaés étaient enfin prêts à pouvoir partir et enfin être vus et entendus par le Docteur Baltatraque qui était un peu soulagé de ce lourd tracas qui le plombait.

Zanouna partit donc avec ses guerriers à la poursuite des bactéries qui avaient commencé à faire pas mal de ravages déjà, car les hôpitaux étaient bondés de gens malades et beaucoup d'entre eux ne purent survivre.

Alors il était temps de stopper l'hémorragie.

Ils trouvèrent enfin les bactéries et là s'enclencha une guerre sans merci.

Faisant quand même un peu plus de la moitié de pertes des Zizanaés, mais qui malgré tout ça arrivèrent à exterminer toutes les bactéries

Zazouna, avec l'aide de ses compagnons, ramena toutes les bactéries mortes au Docteur, pour qu'il puisse en extraire enfin l'antidote qui permettrait enfin de pouvoir soigner toutes les maladies.

Dans cette histoire, Zanouna devint le symbole du courage et de la force.

Il fut donc engagé auprès du Docteur Baltraque, afin de l'aider à ce qu'il n'y est plus de nouvelles bactéries naissantes qui puissent nuire à personne.

C'était en quelques sortes une grande victoire pour la médecine.

Et plus jamais personne ne pouvait tomber malade, sans jamais pouvoir être guéri.

Ma passion musicale

Je vais maintenant vous présenter mon Alphabet musical et vous présenter plein de groupes ou chanteurs que vous connaissez ou que vous ne connaissez pas.

Laissez-vous guider et regardez, mes goûts musicaux et peut-être découvrir et pourquoi pas de connaître des choses qui risque de vous plaire aussi.

A comme AC/DC : est un groupe de hard rock australien, originaire de Sydney. Il est formé en 1973 par les frères écossais Angus et Malcolm Young. Bien que classé dans le hard rock et considéré comme un pionnier de ce genre musical ainsi que parfois du heavy-metal

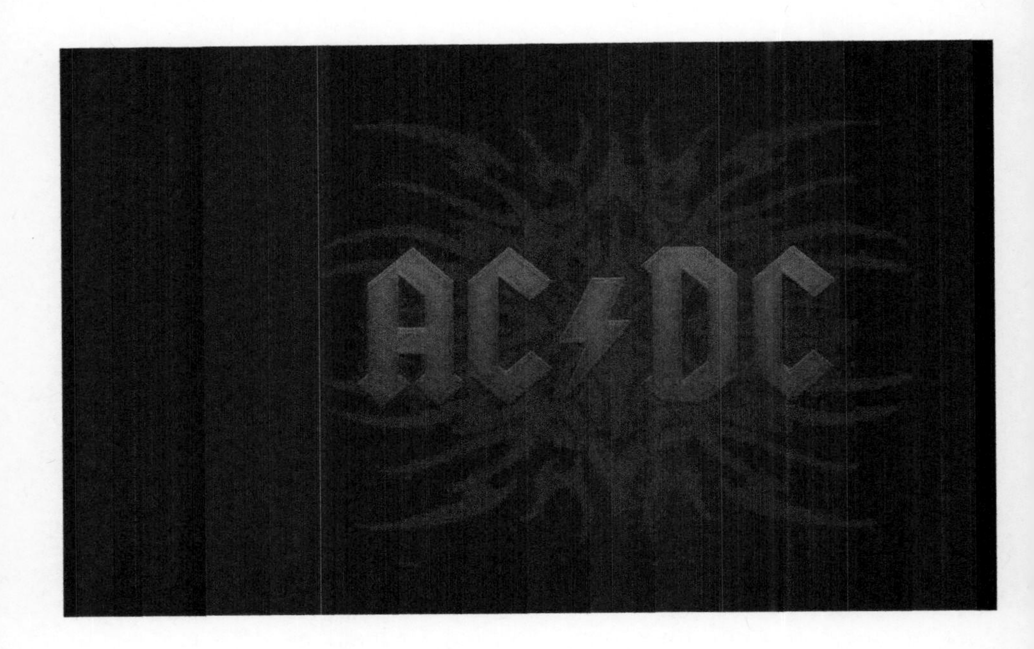
AC/DC

B comme BB King : de son vrai nom Riley B. King, né le 16 septembre 1925 à Itta Bena, dans le Mississippi aux États-Unis et mort le 14 mai 2015 à Las Vegas, était un guitariste, compositeur et chanteur de blues américain. Il est considéré comme l'un des meilleurs musiciens de blues, et a eu une influence considérable sur de nombreux guitaristes.

Il est, avec Albert King et Freddie King, un des trois « kings » de la guitare blues.

B-B-KING
W.D.I.A
530.P.M

C comme Cerrone : Marc de son prénom, né le 24 mai 1952 à Vitry-sur-Seine, est un compositeur et musicien français.

Il change plusieurs fois de métier à ses débuts mais finit par être reconnu comme l'un des piliers du disco en France mais également aux États-Unis où il signe son premier contrat important et cumule nombre de tubes.

La batterie appuyée dans ses titres fait qu'il est surnommé « Le Bûcheron »

D comme Donna Summer : Donna Summer, née Andrea Gaines le 31 décembre 1948 à Boston et morte le 17 mai 2012 à Key West en Floride, est une chanteuse disco et pop-rock américaine.

Elle est un mythe de la musique disco des années 1970 et 1980.

E Comme Eminem : Eminem, souvent stylisé EMINƎM, de son vrai nom Marshall Bruce Mathers III, né le 17 octobre 1972 à Saint-Joseph dans l'État du Missouri, est un rappeur américain, également producteur, acteur, compositeur, et fondateur de label.

En plus de sa carrière solo, il est aussi membre du groupe D12, dont il est le cofondateur, et compose le duo Bad Meets Evil avec Royce da 5'9".

Il a également fait partie, dans sa jeunesse, d'un groupe nommé Soul Intent.

E comme Eminem : Rappeur Eminem, souvent stylisé EMINƎM, de son vrai nom Marshall Bruce Mathers III, né le 17 octobre 1972 à Saint-Joseph dans l'État du Missouri, est un rappeur américain, également producteur, acteur, compositeur, et fondateur de label. En plus de sa carrière solo, il fut aussi membre du groupe D12, dont il est le cofondateur, et compose le duo Bad Meets Evil avec Royce da 5'9". Il a également fait partie, dans sa jeunesse, d'un groupe nommé Soul Intent, et a intégré temporairement le groupe Outsidaz dans la seconde moitié des années 1990.

F comme Foreigner : Foreigner est un groupe rock britannico-américain, originaire de New York.

Il est formé en 1976 par deux musiciens britanniques reconnus, Mick Jones anciennement guitariste pour Spooky Tooth et Ian McDonald, multi-instrumentiste ayant joué avec King Crimson et McDonald and Giles, ainsi qu'un chanteur américain jusqu'alors inconnu, Lou Gramm. En 2014, le groupe compte plus de 80 millions d'albums vendus à travers le monde (dont 37,5 millions aux États-Unis).

FOREIGNER

G comme Ganafoul : Ganafoul est un groupe de Heavy métal formé à Givors dans le Rhône en 1974.

À l'origine composé de cinq membres, il devient par la suite un trio avec Jean-Yves Astier, basse et vocaux, Jack Bon, Guitares et vocaux, Yves Rothacher, percussions lors de la sortie de leur premier album Saturday night qui leur permet d'atteindre un succès national.

GANAFOUL

H comme Herbie Hancock : Herbert « Herbie » Jeffrey Hancock, né le 12 avril 1940 à Chicago, est un pianiste, claviériste et compositeur de jazz.

Il est l'un des musiciens de jazz les plus importants et influents à l'heure actuelle.

Il a mêlé au jazz des éléments de soul, de rock, de funk et de disco.

I comme IAM : IAM est un groupe de hip-hop français, originaire de Marseille, dans les Bouches-du-Rhône.

Formé en 1988, il se compose d'Akhenaton et Shurik'n au chant, de Kheops, Imhotep, Kephren aux platines, et anciennement de Freeman.

J comme Judas Priest : Judas Priest est un groupe de heavy metal traditionnel britannique, originaire de Birmingham.

Fondé en 1969 par le guitariste K. K. Downing et le bassiste Ian Hill, Judas Priest est l'un des groupes les plus influents de la scène heavy metal, notamment grâce à la voix au registre très étendu du chanteur Rob Halford, à son style musical caractérisé par l'utilisation de deux guitaristes solistes, et à ses performances scéniques hautes en pyrotechnie.

Il est aussi reconnu comme l'un des leaders de la new wave of British heavy metal.

Judas Priest

K comme Krokus : Krokus est un groupe de hard rock suisse, originaire de Soleure.

Formé en 1975, le groupe connaît le succès dans la première moitié des années 1980 jouant un hard rock, similaire à celui d'AC/DC.

Leur album Headhunter est devenu album de platine aux États-Unis, ils sont nommés « citoyens d'honneur » de la ville de Memphis, dans le Tennessee. L'année 2003 marque le retour du groupe avec leur album Rock The Block, devenant pour la première fois numéro 1 dans leur pays d'origine.

Krokus est considéré par la presse spécialisée comme le plus grand groupe de hard rock suisse.

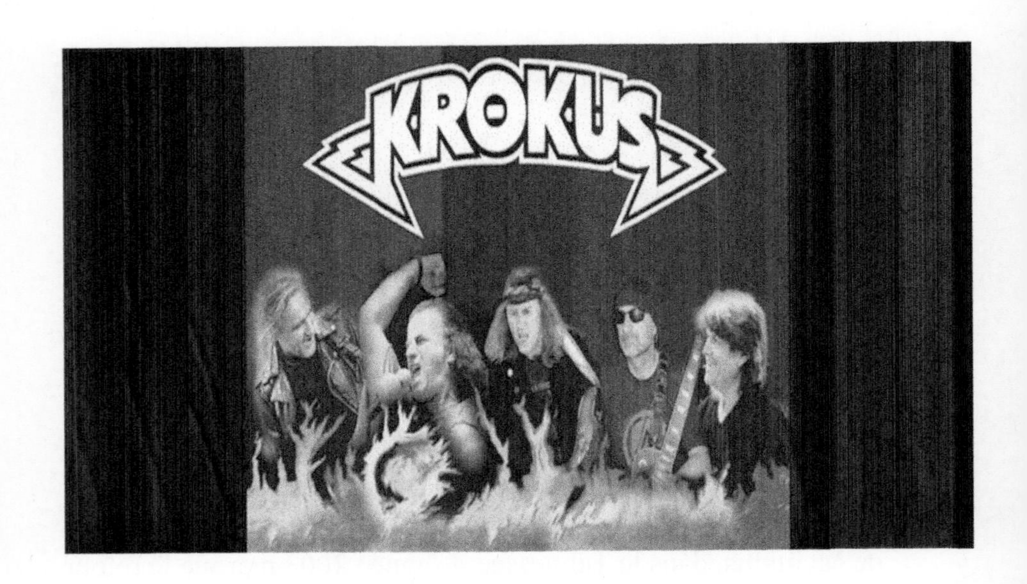
KROKUS

L comme Lou Reed : Lou Reed, né le 2 mars 1942 à Brooklyn et mort le 27 octobre 2013 à Southampton, est un auteur-compositeur-interprète américain qui a commencé sa carrière avec le groupe The Velvet Underground.

Il en a été l'un des guitaristes, l'un des chanteurs et le principal auteur des chansons ; il a composé nombre de titres devenus populaires après la séparation du groupe en 1970.

Le Velvet Underground a eu une influence majeure sur plusieurs générations de compositeurs, malgré son manque de succès commercial dans les années 1960.

M comme Motörhead : Motörhead est un groupe de heavy metal britannique, originaire de Londres, en Angleterre.

Le groupe, formé en 1975 par le bassiste et chanteur Lemmy Kilmister et dissout en 2015 à la suite de la mort de ce dernier, fait partie de la New wave of British heavy metal qui donne un nouveau souffle à la scène heavy metal au Royaume-Uni à la fin des années 1970 et au début des années 1980.

Habituellement un power trio, Motörhead connaît un certain succès au début des années 1980 avec plusieurs singles qui atteignent l'UK Singles Chart.

Les albums Overkill, Bomber, Ace of Spades et particulièrement No Sleep'til Hammersmith, cimentent la réputation de Motörhead comme l'un des plus grands groupes de rock britanniques.

motörhead

N comme Neil Young : Neil Percival Young, O. C., né le 12 novembre 1945 à Toronto, est un chanteur et guitariste de folk, country et rock américano-canadien.

L'apogée de sa popularité se situe au début des années 1970 avec les albums After the Gold Rush et Harvest et son rôle dans le groupe Crosby, Stills, Nash and Young.

Harvest
Neil Young

O comme Ozzy Osbourne : John Michael Osbourne, surnommé Ozzy, né le 3 décembre 1948 à Aston, est un chanteur britannique de heavy metal.

Il est surnommé The Prince of Darkness en référence aux frasques de sa vie privée et de ses prestations sur scène.

Il est connu à la fois pour sa carrière musicale en solo qui se poursuit toujours, ainsi que comme chanteur au sein de Black Sabbath, l'un des groupes fondateurs du métal et créateurs du titre emblématique War Pigs.

OZZY
OSBOURNE
BLIZZARD OF OZZ

P comme Pointers Sisters : The Pointer Sisters est un groupe vocal féminin américain de rhythm and blues, de disco, d'influence soul et funk originaire d'Oakland en Californie, populaire dans les années 1970 et 1980.

Leur répertoire se compose de genres divers tels que la musique pop, disco, jazz, électronique, le bebop, blues, la musique soul, funk, dance, country et rock.

The Pointer Sisters ont reçu trois Grammy Awards et se sont vu décerner en 1994 une étoile au Hollywood Walk of Fame.

Treize de leur chanson se sont classées dans le top 20 des États-Unis entre 1973 et 1985.

The
POINTER SISTERS
So Excited
ORIGINAL RECORDINGS
Priceless
Collection

Q comme Queens : Queen est un groupe de rock britannique, originaire de Londres, en Angleterre.

Il est formé en 1970 par Freddie Mercury, Brian May et Roger Taylor, ces deux derniers étant issus du groupe Smile.

L'année suivante, le bassiste John Deacon vient compléter la formation. Les quatre membres de Queen sont tous des auteurs-compositeurs.

R comme Ramones : Les Ramones sont un groupe de rock américain, originaire de New York.

Formés en 1974, ils sont souvent cités comme le premier groupe de punk rock.

Bien qu'ayant eu un succès commercial assez limité, le groupe eut une grande influence sur le punk et ses dérivés aussi bien aux États-Unis qu'au Royaume-Uni. Leur look se détachait par son minimalisme et son aspect négligé : cheveux longs, perfecto noir, t-shirt, jeans déchirés aux genoux, chaussures de sport usées.

RAMONES
JOHNNY
JOEY
DEEDEE
TOMMY
LOOK OUT
BELOW

S comme Saxon : Saxon est un groupe de hard rock et de heavy metal britannique, originaire de Barnsley, dans le Yorkshire, en Angleterre, débutant au milieu des années 1970, à la même époque que des groupes comme Iron Maiden ou Def Leppard.

Bien qu'ayant connu une période moins populaire dans les années 1990, le groupe a retrouvé une seconde jeunesse.

SAXON

T comme Ted Nugent : Theodore Anthony « Ted » Nugent, né le 13 décembre 1948 à Détroit, Michigan, est un guitariste et guitar hero de hard rock américain, connu au début comme membre du groupe The Amboy Dukes.

Ted Nugent
Scream Dream

U comme U2 : U2 est un groupe rock irlandais originaire de Dublin, formé en 1976. Il est composé de Bono au chant et occasionnellement à la guitare ; The Edge à la guitare, au piano et au chant ; Adam Clayton à la basse ; et Larry Mullen Jr. à la batterie.

U2 OCTOBER

V comme Van Halen : Van Halen est un groupe de hard rock américain, originaire de Pasadena, en Californie. Le guitariste du groupe, Eddie Van Halen, d'origine néerlandaise, est rapidement devenu célèbre pour ses prouesses techniques et sa sensibilité musicale. Il a surtout inspiré un nouveau courant de « guitar heroes » grâce à la popularisation de la technique du « tapping ». Leur premier chanteur David Lee Roth s'est également imposé comme un véritable showman.

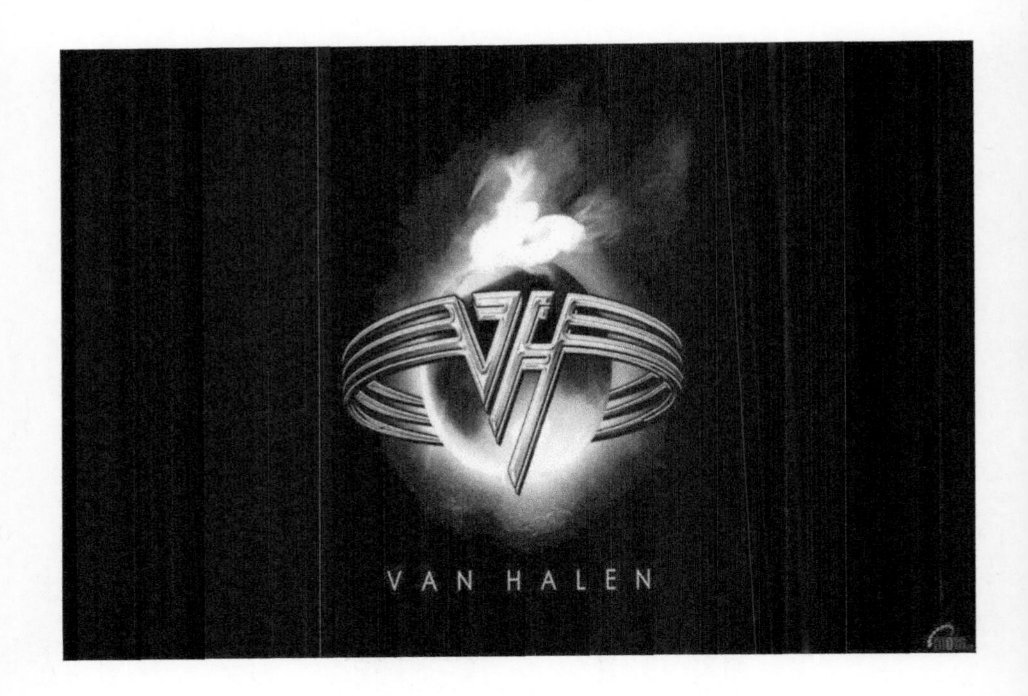
VAN HALEN

W comme Web Wilder : John « Webb » McMurry (né le 19 mai 1954), connu sous le nom de Webb Wilder, est un chanteur, guitariste et acteur américain de rock and roll.

WEBB WILDER
doo
dad

X comme XYZ : XYZ était un groupe rock britannique éphémère.

Il a été formé au début des années 1980 par Chris Squire et Alan White de Yes, Dave Lawson de Greenslade et Jimmy Page de Led Zeppelin.

Le groupe s'est réuni après la rencontre de Jimmy Page avec Chris Squire et Alan White lors d'une fête peu avant Noël 1980.

Le groupe a également rencontré l'ancien claviériste et chanteur de Greenslade, Dave Lawson. Squire étant le principal auteur du groupe.

Page pensait que le groupe avait besoin d'un chanteur puissant et cherchait à joindre l'ancien leader de Led Zeppelin, Robert Plant.

Le 28 février 1981, Plant assista à une répétition de XYZ, mais décida de ne pas rejoindre le groupe, citant son aversion pour la complexité de la musique et parce qu'il était toujours profondément blessé par le décès de son ami de longue date, le batteur de Led Zeppelin, John Bonham.

Y comme Yardbirds : The Yardbirds est un groupe de rock britannique, originaire de Londres, en Angleterre.

Issu des années 1960, il est formé en mai 1963.

Anthony « Top » Topham, Éric Clapton, Jeff Beck puis Jimmy Page se succèdent à la guitare au sein du groupe ; en 1966, Beck et Page y jouent simultanément.

Éric Clapton rejoint ensuite John Mayall puis co-fonde le supergroupe Cream, Jeff Beck poursuit une carrière solo, tandis qu'à leur dissolution en 1968, reprenant au départ un contrat d'engagement des Yardbirds pour des concerts en Scandinavie, Jimmy Page fonde Led Zeppelin.

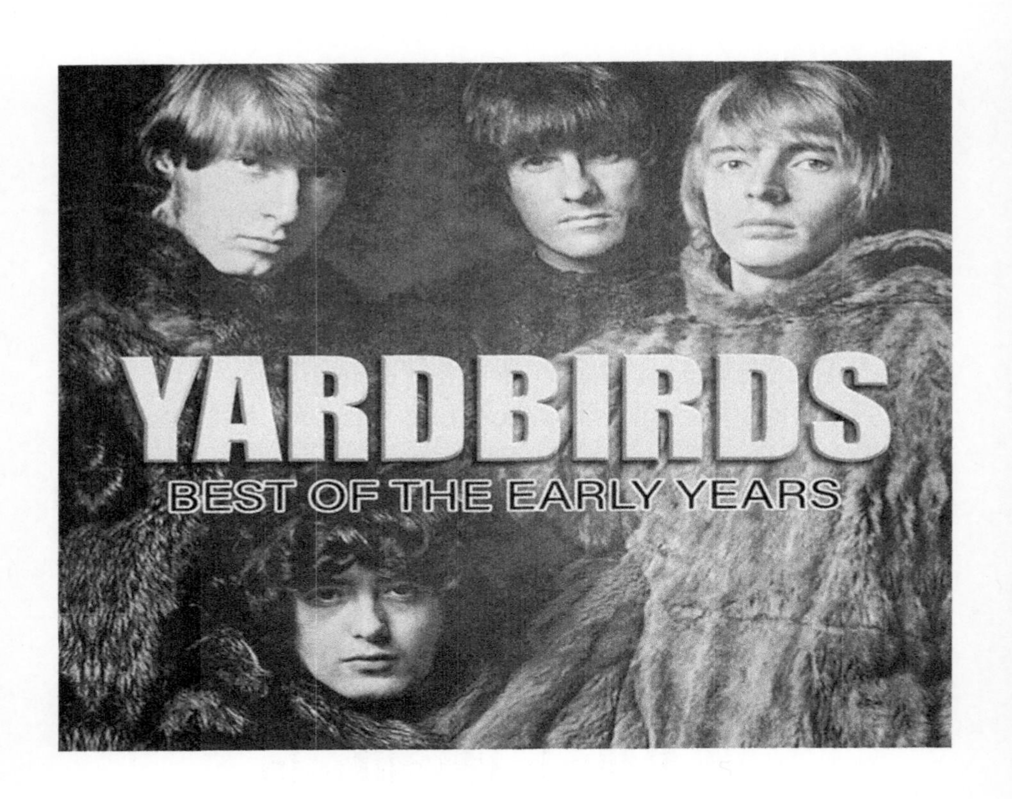
YARDBIRDS
BEST OF THE EARLY YEARS

Z comme ZZ Top : ZZ Top est un groupe de blues rock américain, originaire de Houston, au Texas. Il connaît le sommet de sa célébrité dans les années 1970 et 1980. Les membres de ce trio sont Billy Gibbons, Dusty Hill et Frank Beard.

ZZ TOP

Et voilà, je viens de vous présenter mon alphabet de mes goûts musicaux.

La musique pour moi est un bon médicament, mieux que n'importe quel antidépresseur, et il me permet de m'éclater sur certaines musiques et ça me fait le plus grand bien.

Mes acrostiches

1

Aimer c'est chercher à se faire aimer
Mais aussi faut-il pouvoir avoir cette
Ouverture d'esprit qui sert à pouvoir nous
Unir en vivant sereinement et en se
Rassurant l'un à l'autre

2

En pensant
Souvent à
Pouvoir
Obtenir ce que l'on veut
Il nous est souvent permis de
Rêver

3

Comprendre à savoir-être
Honnête et courageux nous montre
Où aller et choisir nos vies, car
Il est indispensable de pouvoir penser à
X raisons et de réussir à prendre ses propres décisions.

4

Hâte d’avoir envie de rencontrer son premier
Amour, nous rend de plus en plus
Radieux et resplendissant et on veut
Même que cela dure le plus longtemps possible
On ne peut pas penser que cela ne finira jamais et
Non plus vouloir se séparer, en rendant cet amour
Indélébile
Et sans failles

5

Philosophie
Ressenti
Émotion
Sensation
Envie
Narration
Citation
Energie

6

Équations
N
Illusions
G
Mathématiques
E
Solutions

7

Pour être en mesure et mieux
Armé à vouloir bien se
Rappeler les mauvais souvenirs qui
Des fois ressurgissent en nous
On a des fois tendance à
Nous faire du mal.
Ne faudrait-il pas nous
Encourager à se
Remémorer que les bons moments ?

Table des matières

Imprimé en Allemagne
Achevé d'imprimer en juillet 2021
Dépôt légal : juillet 2021

Pour

Le Lys Bleu Éditions
40, rue du Louvre
75001 Paris